나는 소음과 함께한다

나는 소음과 함께한다

발 행 | 2023년 05월 27일
저 자 | 김민준
펴낸이 | 한건희
펴낸곳 | 주식회사 부크크
출판사등록 | 2014.07.15(제2014-16호)
주 소 | 서울특별시 금천구 가산디지털1로 119 SK트윈타워 A동 305호
전 화 | 1670-8316
이메일 | info@bookk.co.kr

ISBN | 979-11-410-8672-5

www.bookk.co.kr

Le bruit est avec moi

나는 여기서 내가 정말로 하고 싶은 말은 하나도 적지 않았다. 나의 원래 기획대로 작성되었던 마지막 두 편의 단편들과 나머지 단편들은 시간상 조금 떨어져 있다. 더욱이 나는 이 책에서 내가 과거에 썼던 소설들의 리메이크나, 혹은 아무렇게나 휘갈긴 글귀의 짜맞춤 등을 그대로 수록했다. 그렇기에 이 책은 난잡한 단편집으로 될 수밖에 없었다.

당신이 이 책의 온갖 결함을 눈감아줄 수 있다면, 한 번 끝까지 읽어주기를 바란다. 그러나 나는 더 이상 내가 무언가를 할 수 있다고 생각하지 않는다. 무언가를 전달할 수 있다고 생각하지도 않는다.

래퍼 저스디스가 "엄마를 위한 예술"을 세상에 내놓은 결과는 그리 좋지만은 않았다. 나는 학생 시절에 그것을 지켜보았고, 이제 문화가 무엇인지 조금은 안다. 나는 호구가 아니다.

잡설은 짧게 끝내고 싶다. 이 책을 구입해준 여러분에게 감사드린다.

나는 소음과 함께한다

작은 조명빛 하나만 겨우 명멸하는 방 안에서, 아직 녹아내리지 않은 생각을 붙들었다. 내가 누워 있는 곳에서 한 발짝도 움직일 수 없다고 느껴진다. 그럴 이유도 없고, 그럴 필요도 없다. 적어도 한동안은, 아무것도 하지 않는 편이 나을 거라고 생각한다. 내가 무언가를 하면, 행동과 그 대상이 나의 빈약한 본질을 쓸어버리기 때문이다.

중요하다고 생각하는 것은 0부터 시작하는 것인데, 주관을 순서에 맞추어 재구성하지 않으면 대상에 압도당하기 마련이다. 그러나 이러한 재구성에 특별한 의미를 부여하려 하는 시도를 주의해야 한다. 이를테면 내가 빛을 보기 위해 빛이라는 관념을 지워야 한다 해도, 그것은 결국 다시 나에게 돌아오고야 말 것이다.

나는 보이지 않는 것들을 말해야 한다. 그건 그렇게 해야 한다고 배워서가 아니다. 그렇게 하는 것 말고 다른 것들을 배우지 못했기 때문이다. 생각해보면, 꿈조차도 감각에 대해서는 구체적인 편이다. 그래서 내가 머무르고 있는 공간에는 다른 이름이 필요하다. 어쨌든, 내가 소리를 내면, 그 소리가 나를 만지려 들 것이다.

너는 내가 모르는 것을 가르쳐 줄 수 있니? 혼자서 중얼거린다. 현실이 자각몽과 같다면, 논리라는 문을 통해 밖으로 나갈 수도 있을 거라는, 그런 생각도 했다. 타인을 사랑하지 않고는 자기를 사랑할 수 없다는 그 말을 떠올린다. 그것은 나의 존재를 타인의 그림자로 만드는 것이었는데, 사실 그게 틀린 것도 아니었다.

소음의 벽 앞에서, 나의 존재는 규칙으로 대체된다. 설명하기 위해서는 말을 꼬아야 했고, 그것만이 설명을 설명답게 만들어주는 전부였다. 그러나 현학에는 궤적도 있다. 모든 경험을 사변으로 전환시켜야만 했던 때의 습관으로 인해, 나의 삶을 영위하는 공간 자체의 무게를 견딜 수가 없다. 단순히 말하자면, 나는 우려러보고 있다.

현재의 나는 미래의 나에게 보내는 초대장일 뿐이다. 그리고 이것은 끝없이 반복되는 순환 과정에 해당된다. 과거는 끊임없이 나를 잡아당기고 놓아주려 하지 않지만, 정작 과거 속으로 완전히 들어갈 수는 없다. 나는 얼어붙은 과거를 둘러싸는 외피다.

운명은 파도에 의해 산산조각난다. 그러나 그 반대도 마찬가지다. 나는 나의 운명을 만져보았지만, 그 이상 내가 뭘 할 수 있었을까? 운명과 파도는 모두 차갑고, 온기를 가진 것은 생명뿐이다. 그러니 운명과 나 사이에는 본질적인 차이가 존재하는 것이다.

나는 나의 자의식 바깥에 서서 얇은 막으로 닫힌 나의 의식을 관조한다. 물론 나는 나와 관계없지만 그럼에도 틈새로 훔쳐볼 수는 있다. 아무것도 없이 꽉 찬, 내용 없는 윤곽의 세계, 그 속에 나라고 부를 수 있는 것은 '나'라는 기표뿐이다. 그것은 도착지가 곧 출발지인 무한적인 미로와도 같다.

나는 세상을 나의 시야 안으로 좁힌다. 내가 보는 것이 전부라는 생각과, 보이는 것을 통해 보이지 않는 것을 본다는 생각이 공존한다. 적어도 나에게는 너무 추상적이다. 다만 내가 할 수 있는 것은 보는 것뿐이므로, 나는 시선을 돌린다.

삶에 앞서서 삶을 살아간다는 것, 그것보다 삶을 뒤처지게 만드는 것은 없다. 그럼에도 삶을 꿰뚫고 들어갈 수 있는 공간은 분명 지독하게 분리된 공간일 것이다. 나는 오직 나에게 미리 주어진 것만을 버렸다. 마치 삶 위에 내가 더 세울 수 있는 것이 아무것도 없다는 것처럼.

열려 있는 생각의 틀이 있고, 완전히 막힌 생각의 틀이 있다. 나는 자신의 틀에 항상 새로운 내용을 집어넣고자 했지만, 나의 문이 어느 정도는 좁다는 것을 느낄 수밖에 없었다. 그러나 열려 있음의 맹점을 언급하자면, 그것은 새로운 내용물들을 도식에 따라 재배치하는 것에 불과하다. 나는 항상 나의 방을 어느 정도는 비워두는데,

그것은 지식에도 때가 있다는 생각 때문이다.
사실 질문에 답이 있느냐 없느냐는 중요하지 않을 지도 모른다. 중요한 것은 그 답이 있다고 가정해도, 그것을 하나의 책에 엮어낼 수 있느냐 없느냐다. 답이 가장 구체적인 것이라고 생각해보자. 그것을 그 자체로 이야기하기 위해 우리에게 얼마나 많은 설명이 필요할 지 나는 가늠할 수 없다.
나는 부조리를 말하는 것이 그저 누워서 침뱉기에 불과하다는 사실을 알았다. 모든 것이 복잡하게 얽혀 있는 세상이지만, 그럼에도 죄악에는 추상이 있다. 대부분의 판단은 추상을 통해 이루어지는바, 구체적인 세계는 아주 가까우면서 동시에 너무 멀다.
어떠한 질문을 불신한다는 것이 필요할 때가 있다. 때로는 질문이 정답보다 훨씬 더 위험하기 때문이다. 나는 너무 많은 질문을 건네는 사람을 좋아하지 않는데, 질문의 양보다는 진정성이 더 중요하다고 생각하기 때문이다.
거짓된 진실과 진실된 거짓이 교차하는 길목에 서서, 존재하지 않는다면 사유될 수조차 없다는 말을 상기한다. 그들이 말하는 모든 것이 배타적인지 아닌지 모르겠다.
한때는 도구에 따라 생각을 찍어내던 때도 있었다. 논리를 신이 내린 거울로 알던 때도 있었다. 그 모든 인식이 실패해야 했음을, 그러나 실패하지 못했음을 밝혀야만 한다.
나는 소음과 함께한다. 대의에 묶인 연민을 위해서든, 연민에 묶인 의미를 위해서든. 우선 내가 오를 산은 마치 적체된 현란의 기울어진 벽과도 같았다. 그러나 소음은 눈에 보이는 모든 것들을 흐려버리는 것이어서, 내가 보는 것들 역시 너무 쉽고 간단한 환각일 뿐이었다.
비겁한 박애의 피상성 위에서 표류하고 있다. 대상에 가림막을 쳐버린 나의 애정은 여전히 유한할 뿐이고, 따라서 나 자신조차도 그것을 믿을 수가 없다. 내가 믿을 수 있는 것은 나와 분리된 사랑 자체뿐인데, 그게 내가 살고 있는 다른 차원의 세계다. 내가 없는 세계에서 생활한다는 것이 나 자신의 모순이다.

감정을 느끼기 위한 가장 다층적인 형식 속에서, 나는 그것들을 연결하는 것만을 시도했다. 내가 완성한 나만의 그림은 철저한 추상화였다. 나의 감정은 내용 없는 내용이었다. 그러나 그 안에서 길을 찾을 필요는 없었다.

나 자신의 생각을 소유하기를 원했다. 그것만이 닿을 수 있는 성질로 여겨졌기 때문이다. 생각의 공간 속에서 나는 손을 뻗었다. 그럼에도 아직은, 생각을 잡을 만큼 동등한 성질을 지니고 있지는 못한 모양이다.

내가 나를 상징할 수조차 없다는 절망감을 극복해야 했다. 아무도 나를 보고 나를 떠올릴 수 없다는 것, 이건 분명 공평하지 못한 사실이었다. 그러나 이제는 스스로와의 화해마저 포기했다. 마지막까지 남은 것은 그냥 하나의 계약이었다.

나는 당연한 것들로부터 일시적으로 도피할 뿐이다. 공상이라는 도피처가 싫어서, 순수한 논리를 선택한 적도 있었다. 그게 현실과의 접근성을 늘려준다고 착각했지만, 실은 개념과의 접근성만 늘었을 따름이었다.

나를 인식할 수 있는 자는 나밖에 없다고 생각하기도 했다. 그건 일종의 폐쇄된 자의식이었다. 그리고 그건 내가 살 이유이자 동시에 죽을 이유였다. 그러나 이제 나는 경험과 논리를 모두 포기하기를 원한다. '여기 내가 보는 모든 것을 거두어 가소서.' 그게 내가 해야 할 유일한 기도다.

나는 나 자신에 대한 도굴꾼이나 다름없다. 파내는 데 성공했다면 다시 덮어야 하는 것이다. 들어가는 데 성공했다면 다시 빠져나와야 하는 것이다. 자기 안에 영원히 머물 수 없다는 점, 그러나 한

번쯤은 전적으로 내밀하게 파고들어보아야 한다는 점, 이것은 나에게 주어진 과제나 다름없었다.

내가 나의 자유를 붙잡고 있기에, 그것은 자유롭지 않다. 자유와 나의 간극은 가까운 만큼 멀어질 뿐이다. 그건 분명 나의 성질이 나의 설명 바깥에 존재하기 때문에 발생하는 모순이다.

나의 목적은 이미 나의 한계다. 나는 나의 한계를 넘어서려고 하지만, 그럴 때마다 한계가 나를 뛰어넘으려 하는 탓에 번번히 성공하지 못한다. 목적은 잡으려 할 때마다 도망가는 동물과도 같다.

시작은 하나라도 결과는 도미노처럼 쓰러질 때가 있다. 그러나 그들은 확실히 결과일 뿐이었을 것이다. 나를 헷갈리게 하는 것은 비유가 아니라 비유에 달아야 하는 설명이다. 설명은 비유 자체를 바꾸는 것이고, 결국 서술은 아니다.

말할 수 없지는 않은 것을 말하기, 적어도 불가능하지는 않은 것을 시도하기, 그건 일종의 타협이었다. 그러나 말할 수 있다고 생각했던 것을 소박하게 말했을 뿐인데도, 정작 말 자체는 침묵하고 있었던 것이다. 나는 불가능하기에 비로소 가능한 세계 속에 살고 있다.

바닥에 부딪히는 식으로 걸어왔더랬다. 모든 죽음과 맞닿아있는 바닥을 딛고 선 나는, 중심을 똑바로 잡음으로써 비로소 넘어졌고, 정신을 못 차림으로써 가장 올바로 섰다. 이런 점이 나로 하여금 걸음에 대해 다시 묻게 만든다. 걸음과 사물의 균형을 맞추고, 그 사이 어딘가에는 내가 있다는 사실을 알기. 물론 그것이 나를 증명해주진 않는다.

죽음은 적어도 나에게는 선택할 수 없는 것이 되었다. 그러나 그것은 선택할 수 없으면 알 수도 없는 것이다. 죽음에 대해서 내가 뭘 말할 수 있을까? 그건 신비적인 것조차 아니다.

과거를 포기하는 것은 현재를 탈출하는 데서 시작한다. 이러한 탈

춤은 완결되지 않는 무한한 유랑과도 같아서, 때로는 우리의 삶을 무너뜨릴 지도 모른다. 그러나 무너진 것은 잔해가 아니라 딛고 설 땅일 뿐이다.

나는 아무것도 돌려주지 못했다. 어쩌면 아무것도 돌려줄 수가 없었다. 소유가 곧바로 사용으로 이어지는 것이 아니기 때문에, 나는 내가 가진 것을 만질 수조차 없던 때도 많았다. 하지만 적어도 감상할 수는 있었고, 그게 내가 하곤 했던 대부분의 활동이었다.

의미 안에 단어를, 대상 안에 감각을 넣고, 그것들이 어떤 방식으로 빠져나오는지 관찰하자. 나는 그 궤적을 음악적 연주라고 부를 것이다. 만일 그들의 연주가 서투르더라도, 그것이 꼭 실패를 뜻하는 것만은 아니다.

불행도 행복도 어느 순간 잊는 순간이 올 지도 모른다. 그때부터 남아있는 것은 삶이라기보다는 어떤 양태에 가까울 것이다. 나에게는, 그것이 실망스럽지 않기를 기대하는 마음이 있다. 망각이 행복보다 더 낫기를, 그리고 나의 사랑을 사랑으로 지울 수 있기를.

나는 현실을 틀 안에서 보지만, 그 틀 안에 포착되는 것은 아무것도 없다. 모든 것이 틀 밖에서 현실성을 가지기 때문이다. 그러나 나의 인식에 있어 틀을 포기한다는 것은, 적어도 나에게는 허락되지 않은 것 같다. 만약 그게 가능했다면, 정말 가능했다면, 애초에 보려고 할 필요조차 없지 않았을까?

과연 누가 나의 말을 필요로 할까? 이 질문에 나는 전혀 대답을 떠올릴 수 없었고, 그게 내가 침묵을 중요시하게 된 계기가 되었다. 그것은 침묵이 말보다 가치있어서가 아니라, 다른 모든 것들을 포기하고 난 뒤 최종적으로 귀결되는 쪽이 침묵뿐이기 때문이다.

진실은 정신의 유일한 권력이다. 그리고 진실에 대항할 유일한 무기는 정신이다. 이것은 하나의 마피아게임이다. 우리는 끝날 때까지 머물렀고, 게임은 아직 끝나지 않았고, 나는 이곳에서 냉소주의자가 되었다. 눈도 마주치지 않고서.

빛나는 진리만이 끝없이 허무하다. 살아있음을 잊는 것이 생명의 오만이라고 말한다면, 나는 오히려 생의 바깥에서 나로 하여금 되돌아가게 하는 타성을 죽이는 것이야말로 망각이 가져다주는 불변의 선물이라 대답한다. 따라서 나의 삶을 살아본 사람이라면, 나의 말을 가장 거부할 수밖에 없을 것이다.

창작의 세계는 넓고 깊어 보이지만, 실제로 창작자가 가꿀 수 있는 땅으로 허락되는 그 범위는 나무 하나보다도 작다. 그러니 이러한 영토의 연결이 다채롭기는커녕 단지 하나의 황무지나 다를 바 없다는 사실은 이제는 놀라운 것조차 아니리라. 내가 할 수 있는 것은 아주 뜬금없고 당혹스러운 쇼에 지나지 않는다. 그러나 쇼에서 중요한 것은 스포트라이트 그 자체다. 나의 목적은 장치를 빛에 녹여버리는데에 있다.

아름답고도 아무것도 없다

가을의 징후.
아침에 일어날 때.
하얀 공기 냄새.

그리고 아무것도 없다. 환상의 눈에 파묻혀서는. 한심하군. 세상의 눈으로 나를 한번 보시기를. 아무래도 어떤 생각도 떠오르지 않을 것이다. 상관 있을까? 몰라. 내가 그렇다고 하는데. 가을의 분위기라는게. 그렇잖아도 나는 책을 읽는다. 책을 읽을 뿐만 아니라 생각을 한다. 그런데 생각을 하는 게 결국 한심한 거지. 한심할 뿐 아니라 무력하다. 사람들은 다 전시를 하고 있잖아. 그런데 진짜를 전시하고 있다는 게 중요한 거다. 진짜들이 여기저기 널브러져 있으니, 그래, 정말 조심해야 한다. 세상이 빈약하다고 아무리 말해봤자다. 결국은 엄청나게 고급진 박물관이라고 생각하도록 만들어 줄 거야, 아마도.

진짜들은 정말 그 존재 자체가 나를 왕따시킨다. 그래서 이 박물관에서는, 결국 나조차도 진짜가 되지 않게 조심해야만 한다. 쉽게 말해 조용히 살아가야 한다는 소리다. 이 부분에서 나는 아주 좋은 모범의 친구를 하나 안다. 교회에서 알게 된 친구였고, 정말 조용한 데다 얌전하기까지 했다. 외모조차도 눈에 띄지 않아서, 이 평범함이 오히려 교회 공동체가 그에게 아주 호감을 가지게 만들었던 것이다. 또는 같은 말이지만, 교회는 그가 조용히 살아갈 수 있도록 도와주었다. 몇 가지 예외를 빼면, 그가 조용히 살아가는 데 있어서 방해를 하는 사람은 없었다. 당연히도 그는 그 이상의 무엇도 바라지 않았다.

한 달 전에, 나는 다니던 교회를 그만뒀다. 그런데 이것은 정말 변명이 불가하다. 지금 회상해보면, 그와 나의 관계는 너무나 유치한 것이었다. 교회 사람들이 나를 싫어하게 될 정도로 유치했는데, 그들에게는 그 유치함이야말로 너무나 진지한 것이었다. 정작 그 친구는 이것을 진지한 문제라고 생각도 하지 않았을 텐데. 그래, 내가 유치했다는 걸 인정해주는 편이, 수치스러우면서도, 적어도 억울하지는 않다. 그러니까 그 친구, 유찬이, 그 애는 정말 착한 친구였다. 내가 너를 반 년이 조금 안 되는 기간 동안 괴롭혔는데, 너는 나를 아무렇지 않게 용서해줬잖아.

내가 교회를 그만두고 얼마 뒤, 그 친구도 교회를 그만뒀다. 딱히 다른 교회로 옮긴 것도 아니었다. 그렇다고 기독교인이기를 포기한 거냐고 하면 그것도 아니랜다. 그 후로 지금까지 별 대화도 없었다.

그 친구, 유찬이와는 교회 동아리에서 처음 대화했다. 동아리 내용은 간단했다. 목사의 설교를 듣고 나서 그 내용에 대해서 토론하는 게 전부였다. 목사가 성경 구절을 가지고 오면, 모두 그 구절을 같이 읽고 이야기를 나누었다. 그런데, 요즘은 성경도 전부 스마트폰으로 보는데, 굳이 책을 가져오는 건 유찬이가 유일했다. 그래서 내가 물었다. 너는 왜 무겁게 책을 가지고 다녀? 스마트폰은 읽기 불편해서. 나는 처음에는 그 말이 이해가 되지 않았다. 성경을 읽는다니? 아 그래, 성경은 읽는 책이었지. 쟤는 그걸 읽는구나. 자기가 목사인줄 아는건가. 나는 속으로 비웃었다.

솔직히, 동아리 활동의 절반은 잡담이었다. 그야 성경 이야기에서 실질적인 내용으로 뽑아낼 만한 게 우리의 일상밖에는 없었으니까, 그렇게 되는 게 당연했다. 무의미한 잡담의 향연 속에서, 나는 누구보다 열심히 가담했다. 반대로 누구보다 성경에 충실하게 이야기했던 건 유찬이였다. 다르게 표현하자면, 유찬이는 누구보다 목사의 설교 내용에 충실하게 이야기했다. 노아의 홍수가 역사적 사실이라고 거듭해서 강조한 그 모든 이야기들을 가장 진지하게 믿은 사람도, 레위기의 율법들을 지킬 필요가 없다고 생각하는 것은 이단적인 것이라고 진지하게 믿은 사람도 유찬이었다. 우리가 그의 반대편에 서 있었다는 이야기가 아니라, 적어도 그는 애매하게 접근하지 않았다는 것이다.

그래서 우리들이 조금 더 적극적으로 가기로 했다. 유찬이에게 직접 물었다. 너는 취미가 뭐야? 취미는 독서에요. 너는 공부 잘하니? 공부는 못해요. 가족관계는 어때? 외동이에요. 너는 잘하는 게 뭐야? 잘하는 게 없어요. 좋아하는 이성 있어? 없어요.

모든 대화가 이런 식이었다. 아무래도 우리들이 너무 적극적으로 접근해서 그랬던 것일지도 모르지만, 어쨌든 유찬이는 너무나 방어적이었다. 직접적이고 깔끔한 대답으로 그 이상의 모든 대화를 피했고, 결국 묻는 사람들만 머쓱하게 만들었다. 솔직히 지금 생각해보면, 의도적인 게 아니었나 싶기도 하다. 그렇거나 말거나, 우리들은 금방 지쳐서 다시 예전에 하던 대로 돌아갔다. 그러나 나는 유찬이의 생각이 궁금해졌다. 막 성인이 되어서 좋아하는 이성이 없다니, 취미가 독서인데 공부는 못한다니, 잘 납득이 되지 않았다. 그렇게 처음에는 진지하게 대화를 해보겠다고 접근한 것이, 어느 순간부터 괴롭힘이 되어있었다.

나는 예배가 끝나고 집으로 돌아가는 길에 종종 유찬이를 붙잡고 말을 걸었다. 걔도 날 딱히 거부하지 않아서, 처음에는 친해지는 과정이 좋았다. 어쨌든 나는 사람을 좋아했다. 유찬이 같은 스타일은 뭔가 궁금해지는 인간상이었으니까, 여러가지 무례한 질문도 가리지 않고 던졌다. 너는 왜 애인이 없어? 혹시 있는데 말을 못하는 거야? 혹시 동성애자야? 아니면 너무 가난해서 연애를 할 조건이 안된다거나? 아니면 비혼주의자야? 그런거면 의외네, 하나님이 주신 사랑을 그렇게 쉽게 포기하는 거야?

유찬이는 내가 아무리 도발을 해도 답변을 하지 않았다. 그런데 이 이후로 유찬이는 내 장단에 너무 쉽게 어울려줬다. 그렇다고 대화를 적극적으로 하는 것도 아니었다. 솔직히 나는 어떻게 해야 할지를 몰라서, 그냥 귀찮게 굴기를 선택했다. 오늘은 어디 가? 오늘도 도서관 가? 무슨 책 읽어? 그런 책은 대체 왜 읽어? 그게 왜 궁금한데? 그거 알아서 어디다 쓰는데? 공부 못하는 이유를 알겠네. 대학 공부는 해? 거의 안하지? 그것 봐봐, 열심히 좀 살아라. 그래야 살아서도 죽어서도 행복하지. 혹시 우울증 같은 건 아니지? 하나님을 믿는데 우울증에 걸린다는 건 모순이잖아, 그치? 완전히 논리적 모순이지. 방금 고개 끄덕인 것 같은데, 동의한다는 거야? 아 뭐라고 말을 좀 해봐. 너는 왜 말이 없어?

유찬이는 한참 동안 대답이 없다가, 돌연 내 눈을 똑바로 쳐다보며 말했다. 제가 말을 한 뒤에, 비밀을 지켜주세요. 그렇게 해주시는 동안에는 대화에 참여할게요.

나는 그러겠다고 했다. 유찬이는 담담하게 말했다. 저는 사랑을 받아본 적은 있어도, 느껴본 적은 없어요. 사랑이 뭔지도 모르고, 관심도 없어요. 하나님의 사랑조차도 느껴본 적이 없어요. 가족과의 관계도 참 단조롭기 그지없는데, 연인을 만든다는 게 가능할까요. 저는 딱히 사랑이 뭔지 알고 싶지도 않아요. 그냥 좀 많이 좋아하면 사랑인 게 아닐까요. 그런데 저는 뭔가 많이 좋아해본 적이 없는 것 같아요. 그래서 저에게는 사랑이 없는 게 아닐까 싶어요. 이해가 되시나요?

나는 이해가 안 된다고 했다. 솔직히 너는 그냥 모르고 싶은 것 같은데, 사랑은 인간 모두의 보편적인 감정인데 그걸 모른다는 건 말이 안 돼. 근데 너 진짜로 사랑스러운 애인을 만나면 생각이 바뀔 거야. 왜냐면 나도 사랑이 뭔지 잘 모르고 방황하던 때가 있었는데, 여친을 사귀어보니까 바로 알겠더라고. 물론 그건 하나님의 사랑과는 다른 거겠지. 하나님의 사랑은 정말 마음속 깊이 묵상하고 숙고해야 느낄 수 있는 거라고 나는 생각해. 이 부분은 조금 더 노력을 해봐. 네가 헷갈리는 게 있는 것 같은데, 없는 것과 모르는 건 다른 거야. 그리고 어떤 감정을 모른다는 건 가능해도 그게 없다는 건 가능하지 않다고 생각해.

유찬이는 내 말을 가만히 듣고 있다가 대답했다. 아마도 그렇겠죠, 저는 모르고 싶은 거겠죠. 저는 모르고 싶은 사람이고, 이런 저를 모르고 싶으시다면, 여기서 대화는 끝나버리겠네요. 재미있지 않나요. 우리는 이해하기 위해 교회에 다니고, 또 교회에 다니기 때문에 이해하지 못한답니다. 그런데 그 사이에 하나님이 계시잖아요. 그러니 제가 지닌 문제도 하나님이 용서해주시지 않을까요.

그게 그 날 대화의 전부였다. 그 후로 나는 계속해서 유찬이를 건드렸다. 그 녀석의 신앙관이 너무나 마음에 들지 않았다. 나는 그 녀석을 유도심문하거나 도발하는 방식을 사용해서, 어떻게든 이단으로 만들고자 했다. 이를테면 욥기에 대한 목사의 설교가 있고 나면, 어떻게든 유찬이 녀석의 말을 욥의 기도를 옹호하는 것이 아닌지 몰아가려 했다. 실제로 그 녀석은 욥이 하나님을 이해하고자 간절히 바랐다고, 그것은 비난이나 심판이 아니라 사랑의 표현이라고 주장했던 것이다. 이것이 점차 논쟁이 되어 나는 그 녀석을 점점 몰아붙였다.

그러나 그럴수록 오히려 이단에 가까워지는 건 나 자신이었다. 나는 욥이 설령 사랑을 표현한 것이라 해도 잘못된 방법으로 표현했으며, 하나님은 욥의 사랑에 기뻐하신 것이 아니라 넓은 아량으로 용서해주신 것에 불과하다고 계속해서 주장했다. 분명 처음에는 그러했던 주장이, 중간에는 하나님이 욥을 단죄했어야 했다는 주장이 되더니, 마지막에는 하나님이 욥을 단죄하지 않은 것은 형평성에 어긋난다는 말실수까지 저질러버렸던 것이다. 그렇게 상황이 역전되었다.

교회 사람들은 내가 신앙심이 부족하다고 여기기 시작했고, 나는 이것을 해명하기 위해 조금은 더 열심히 신앙생활을 해보았으나 소용이 없었다. 반면 유찬이에게는 아무 일도 일어나지 않았다. 그래서 나는 유찬이를 더 건드렸다. 그러나 그럴 수록 상황은 나빠질 뿐이었다. 교회 사람들은 내가 유찬이와 같이 있기만 해도, 나를 무시하고 유찬이를 편애하는 모습을 보였다. 이것이 계속해서 반복되자 내 마음 속에는 점점 분노가 쌓여갔다.

나는 이 분노가 싫어서, 교회 사람들이 안 보는 공간에 유찬이를 끌어들여서 내 감정을 터뜨렸다. 너는 사람들이 좋아해주니까 좋겠네. 정작 내가 가장 너를 이해해주려고 한 사람인데. 신앙심은 네가 더 깊을 지 몰라도, 어쨌든 내가 널 챙겨준 거 아니냐? 그런데 너는 정말 모르겠어. 네가 대체 무슨 생각을 하는 지 모르겠어. 말을 해봐, 내가 싫은 거면 떨어져 나갈게. 아니면 그냥 지인으로만 남을 수도 있고. 응? 내가 협박하는 게 아니잖냐. 제발, 왜 나를 무시하는 거야? 이런 건 정말로, 교회 사람들이나 너나 똑같아. 솔직히 이제 나는 네가 별로야. 겉으로는 신중하고 얌전한 척하고, 속으로는 나를 아주 깔보고 있겠지! 잘은 모르겠지만, 아마도 그럴 것 같네. 그렇지? 대답해 봐! 날 깔보고 있는 거지? 왜 대답을 안 해? 응? 대답을...

그런데, 내가 너무 소리를 치는 바람에 교회 사람 중 누군가가 이 모습을 목격해버렸다. 그는 내가 유찬이를 괴롭히는 줄 알고 달려와서 나에게 따져댔고, 나는 무작정 그 자리에서 도망쳤다. 나는 수치스러운 마음에 곧장 집으로 달려갔다.

상황이 이렇게 되기까지 거의 반 년 정도 걸렸고, 나는 그 후로 교회를 나가지 않았다. 사흘 동안은 아무것도 손에 잡히지 않았다. 수치스러웠기 때문이기도 했고, 유찬이가 증오스러웠기 때문이기도 했다. 첫째로는 상황이 역전되었다는 사실 자체가, 둘째로는 그 역전 속에서도 나는 철저히 무시되었다는 것이 증오스러웠다. 그러나 그런 증오를 표현하지 못하게 하는 수치심 때문에, 나는 별다른 무언가를 하지 않았다.

그런데 사흘이 지나자 유찬이가 전화를 해왔다. 자기도 이젠 교회를 그만뒀고, 또 그동안 내게 미안했다고 이야기했다. 전부 자신이 비밀을 공유한 탓이고, 또 비밀을 지킨 탓이라고 이야기했다. 나는 정말로 할 말이 없었다.

유찬이는 계속해서 이야기했다. 저는 최소한 저를 이해해주는 사람이 있다면, 그 사람만큼은 저도 이해할 수 있을 거라고 생각했어요. 그렇게 생각하면, 하나님을 이해하는 것이 타인을 이해하는 것보다 오히려 더 쉬울 지도 몰라요. 하나님은 자신을 계시하는 것을 좋아하시는데, 우리들은 자신을 드러내는 걸 얼마나 좋아하고 있나요? 인간은 자신의 성경을 쓸 수 없고, 기껏해야 매체를 통해서 무언가를 표현할 수가 있을 뿐이잖아요. 하나님은 자신이 드러낸 그대로가 자기 자신이신데, 우리들은 언제부터 자신이 드러낸 것이 자기 자신이었나요? 들어보세요, 타인은 정말 이해하기 어려운 것인데, 이해할 가치가 있다고 생각하기도 어려운 거예요. 하나님 아래에서조차도 우리는 타인을 이해하지 않고 있는데요. 그러다보니 우리가 하나님을 대하는 태도마저도 타인을 대하듯이 하게 되어버린 거죠. 우리들은 언제부터 하나님을 타인이라고 생각하고 있었나요? 하나님에게 불가해성이 있든 없든, 하나님은 이해할 가치가 충분히 있는 분이신데, 그게 우리가 성경을 읽고 묵상하는 이유겠죠. 하나님을 충분히 이해한다면, 타인에 대해서도 어느 정도는 이해할 수 있게 되리라고 저는 믿어요. 이게 제가 교회를 다녔던 이유랍니다. 그리고 여전히 저는 기독교인이고, 하나님을 믿지만, 교회는 다니지 않을래요. 타인을 위해 하나님을 부르지 않는 자들과 함께하고 싶지 않아요. 아니 그보다는, 타인을 이해하기 위해 우선 하나님을 이해하려 하는 사람들이 아니라면 같이 지내고 싶지 않아요. 하나님은 타인의 가치를 증명해주시는 분이라고 저는 믿어요. 그렇다면 저 역시 아직은 그 증명을 보지 못한 것이겠죠. 또는 오히려, 그 증명이 도래하는 날이 하나님 나라가 도래하는 날이 아닐까 하고, 저는 믿어요. 만일 하나님 나라가 도래한다면, 우리들은 서로를 충분히 이해할 수 있을 테고, 그렇다면 무지로 말미암아 죄를 짓는 일은 거의 일어나지 않겠죠. 세상이 풍부하다는 그 생각들 덕분에 세상이 풍부해질 테고, 풍부한 세상이 우리들의 후손에게 그대로 전해지겠죠. 저는 이런 세상을 상상한답니다. 그리고 그런 나라 위에는 결국 하나님이 계시고, 우리들은 하나님의 축복 아래 하나님의 주권을 받들며, 하나님이 주신 자유 아래 하나님의 그 영원함과 위대함을 섬기며, 우리들의 교제가 우리들을 연결시키고, 하나님에 대한 기도가 하나님과 우리들을 연결시키는 거죠. 저는 그런 세상이 제게 다가오기를 바라는 것이 아니에요. 그렇게 될 수 있었는데, 그렇게 되지 않았다는 사실이 조금은 억울한 거예요. 저는 정말로 아무도 이해할 수 없었기 때문에 모두를 이해하기를 바라요. 저는 때로는 세상이 망해버렸으면 좋겠다가도, 결국은 세상에 하나님 나라가 건설되기를 바라요. 정말 모순적이죠... 그러나 저는 제가 지닌 모순 속에서도 제가 무엇을 진정으로 원하는지는 알고 있답니다...

나는 유찬이의 말에 전혀 대답을 하지 못했다. 단지 잘 모르겠지만 일단 알겠다는 식으로 얼버무렸다. 유찬이는 다음에 또 생각나면 연락하겠다고 하면서 전화를 끊었다. 그러나 아직까지 연락이 온 적은 없다.

하지만 지금 와서 생각해보면, 유찬이의 말들은 정말 나와는 이질적인 무언가였다. 나는 따분한 세상 속에서 가치가 있는 대상으로 너를 고른 거라고, 그런데 너는 하나님 속에서 모두를 이해하려 하고 있네. 유찬이의 생각은 분명 아름다운 것이다. 그러나 그 속에는 결국 단일한 대상이 없다. 유찬이는 자기 말대로 사랑을 결여하고 있었을 뿐이다.

아름답고도 아무것도 없다. 그런 생각이 들자마자, 유찬이는 결국 삶을 살아갈 수가 없는 사람이 아니었나 하는 생각이 따라왔다. 그녀석은 세상에서 그런 아름다운 공허만을 보고 있었을 테지. 문득, 나는 세상에서 무엇을 보고 있는지 궁금해졌다. 그렇지만, 아니, 나는 세상을 보려 한 적도 없었다. 어쩌면 나는 세상을 망상하며 살아온 것이다. 어쩌면 유찬이도 다를 바 없다고 빈정거릴 수도 있겠지. 내가 그동안 했던 짓들이 다 그런 거였으니까.

나는 문득 속이 답답해져서, 별 준비도 하지 않고 밖으로 나왔다. 건물들 사이를 지나쳐서 교회가 있는 곳을 멀찍이 바라봤다. 그러면서 나는 내가 교회와는 너무나 어울리지 않을 정도로 유치하다는 사실을 다시금 상기했다. 교회가 하나님에게 최선을 다하고 있다고 말할 수는 없겠지만, 적어도 내가 겪은 일들은 전혀 교회의 탓은 아니다. 어느새 내 마음 속에는 증오가 사라져 있었다. 그렇지만 이제 나는 교회를 다니기 어려울 지도 모른다. 왜냐하면 세상이 빈약하다는 내 인상에는 전혀 차이가 없어서, 타인의 외모든, 타인의 진심이든, 전부 비웃음의 대상으로 삼고 말 것 같아서, 그게 나를 교회로부터 떨어지게 만들기 때문이다.

나의 유치함 속에도 무언가 말할 거리는 많다. 오히려 내가 타인에게서 진실을 꿰뚫어보더라도, 정작 나의 인상은 달라지지 않을 테다. 내가 유치한 인간이니까, 그것만은 달라지기가 어렵다. 그래서 나는 세상이 진실되면 진실될수록 빈약하다고 말할 수도 있다. 그러나 이건 결국 말장난에 지나지 않겠지.

나는 교회를 등지고 걸어가서, 공원이 있는 곳으로 갔다. 노인들과 아이들이 많고, 청년들은 거의 없는 공간이라, 나에게는 꽤나 위화감이 있다. 바람이 너무 불어대서 흙먼지가 흩날리는데도 아이들은 아랑곳하지 않고 놀아댄다. 유찬이에게든 나에게든, 저런 시절이 있었다고는 생각하기가 어렵다. 하지만 어른들도, 저런 아이들에게 마스크를 끼워주어야 하느냐 마느냐 하는 논쟁을 할 필요가 없다는 사실 정도는 안다. 그러니 우리는 초점을 어디로 잡아야 하는지를 생각해볼 수도 있었다.

그래서 내가 성경을 읽기 시작했던 것이다. 성경이 진리를 알려줄 거라고 생각해서가 아니다. 하나님이 자신을 어떻게 계시하시는지를 알고 싶어서다. 솔직히 아직은 모르겠다. 그 형식은 이해가 좀 되는데, 실제적으로 와닿지는 않는다. 하나님의 방식은 다소 자극적으로 느껴지기도 하고, 난해하게 느껴지기도 하는데, 내가 이것을 이해할 수 있을 것인가 하는 문제는 분명히 나에게도 책임이 있는 문제일 테다.

생각을 정리한 뒤에 다시 집 앞까지 왔는데, 문득 느껴지는 게 있었다. 정말 이제부터 내가 살아갈 삶은, 굉장히 붕 떠 있는 무언가가 되겠구나 하는 느낌. 하지만 나는 유찬이와는 다르게 살아갈 수밖에 없다. 그 녀석은 자신을 바라봐주는 사람이 누구든 거부할 수밖에 없을 걸. 그야 자신에게는 이해할 만한 어떤 특수한 내용도 없다고 생각할 테니까. 그런 자신의 생각을 내비치는게, 타인에게는 상처가 된다는 사실을 알고 있긴 할까. 아니, 알거나 모르거나 바뀌는 건 없겠지.

나는 명백히 그와는 대조된다. 내가 아무리 유치하다 해도, 유찬이처럼 하나님만 끌어안은 채로 버티고 있지는 않을 것이다. 나에게는 대화에 나설 수 있는 힘이 있는데, 이 힘은 정말 파괴적인 것이라서, 너무나 많은 사람들을 상처줄 수도 있고, 반대로 치유할 수도 있다. 그런데 내가 하려는 것은 위의 두 가지 모두 아니다. 내 목표는 대화 자체를 다시 보려는 것이다.

신이 아니면 아무에게도 의지할 수 없는 사람들이 있다. 종교는 그런 사람들도 받아줄 수 있을 만큼 친절하다. 그러나 동시에, 종교는 자신들이 신을 대신할 수 있을 거라고 착각하기도 한다. 그런데 그런 사람들은 오히려 그런 착각조차도 필요로 한다. 그들에게 종교는 대체로 그런 방식으로 매개가 된다.

나는 그런 사람이 아니고, 유찬이는 아마도 그런 사람이다. 나는 신을 대신할 수 있을 거라 착각하는 잘못을 저질렀다. 내가 교회에 다시 돌아가게 된다면, 그것은 분명 나의 회개를 위한 것은 아닐 것이다. 그럼에도 여전히 나는 내 잘못을 되풀이하고 싶지 않다. 나는 내 집에 들어서면서, 하나님을 조금 더 진심으로 믿어보기로 하자고 생각했다. 잘은 모르겠지만, 그렇게 하는 게 맞는 것 같다.

별을 숭배하는 사람들

한 순간도 즐거웠던 적이 없고 한 순간도 행복했던 적이 없고 뭐 이런 이야기들이 펼쳐지리라 하고... 아니라면 이 이야기 끝에 탑 끝에 미완성이 펼쳐지리라 하고... 자 계시를 해보자 이것은 신의 권한이 아니다. 내가 영감을 받았지 누구한테 받았냐면 악마에게 받았지 나는 영혼이 아니라 정신을 팔았지 신체 위에 달린 또 하나.

별을 숭배하는 사람들이야말로, 내가 보는 모든 것이다. 이 집에는 환풍구도 없나, 있는데 고장이 났네. 라고 뭐라고? 말을 끝까지 아 시를 쓰는 사람들이... 됐다고 하더라고. 나는 눈 밖에 났어 병신아. 체스에서 도대체 왜 왕이 제일 먼저 움직일 수 없는지 알면 내가 이러겠지 아마도 사람 하나가 들어온 것 같아서 혼잣말은 자동으로 나오는거야 병신아. 자자 애도하자. 박수 세 번 치고 동요를 부르면 애도지 뭐겠냐고? 총을 쏴서 죽여버렸잖아, 총이 없는데 어떻게 총을 쏘겠어. 총총 총총 자 그림자 그림 그리기 레벨 원. 누군가의 형상에 따라 그 질료를 그린다. 레벨 투. 누군가의 질료에 따라 무엇을 그려 자 더 할 게 없지? 별을 따오면 뭐해, 별로라면서. 반대잖아. 어떡해 지구가 위험해 소름돋는다 유치하다 멍청하다고 소리를 지르는데. 그깟 언어 먹어치우는거 일도 아니라고 지금 이러고 있는 거라고.

자 그러니 지루한 서설은 끝내자. 이 이야기는 들판 위에서 시작이 된다. 현명한 사람들이 있었고, 그들 중 단 한 사람만이 별을 숭배하지 않는 사람이었다. 그런데 이건 고도를 기다린다는 식으로 이야기하지 않을 것이므로 별이 무엇인지에 대해서 길고 장황하게 이야기할 필요성이 요구가 된다. 그런데 그러면 결국 고도랑 같지, 아닌가. 근데 별이 무엇인지에 대해서 어떻게 짧고 명료하게 말하지. 시가 그런 것이라고 믿는 사람은 적어도 시인 중에서는 아무도 없을 듯한데. 자자 현명한 사람들의 이야기를 들어봅시다!

하지만 현명한 사람들은 침묵을 하기 때문에, 이야기는 끝나고 만답니다. 그렇다면 이야기를 다시 시작하기 위해서 어떻게 해야 할까요.

나는 귀를 막고 소리를 질렀다. 나를 갈아버리는 소리가 별의 너머에서 들려오기 때문이다. 평생을 함께하자고, 평생이 우리의 시간이다, 그러면 우리는 함께한다, 그러면 이제 우리는 들려오는 모든 예를 들어서 보세요 봐봐 나무가 흔들리는 소리라던지 길가의 사람들의 소리라던지 하는 것들을 전부 없애버리고 단 한 가지에 집중할 수 있는 거 아니겠습니까? 몰라 뭐가 뭔지. 근데 나는 다 알고 있으니까 계시를 하는 거 아니었어? 자자 다시 현명한 사람들을 불러옵시다. 이 들판 위에 현명한 사람들은 꼭 다섯 명. 메이나르, 시라스, 아와르, 네타야르, 메클레비타스로 다섯 명. 아니 무슨 이름들이 다... 메이나르가 말하고, 나머지 네 명이 반발한다! 그러나 이제부터 할 이야기가 진행되기 전에 나는 메이나르의 생각이 이해가 안 되므로 그 후의 진행도 이해가 안 된다. 이해가 안 되니까 이해가 안 되는 걸 이해가 안 되는 방식으로 말을 거는 것을 이해가 안 되겠지 너희들은 이해가 안 돼 나는. 정적. 메이나르를 구하고 싶어. 죽을 수도 있으니까... 메이나르는 별이 아니라 자신을 숭배해야 한다고 진지하게 주장하고 있다.

아와르가 내게 말한다. 그를 동정하지 말아달라고 한다. 아와르는 자신이 메이나르 다음에 죽을 것임을 알고 있었다. 그럼에도 아와르는 메이나르를 죽여야만 했다. 라고 하기에는 이야기가 안 맞는게 내 추측상, 시라스가 메이나르를 죽이는 데에 가장 열심히 가담할 것으로 보이는데? 그렇다면 이야기는 이렇게 흘러간다. 아와르는 메이나르의 선택을 존중하는 나를 비웃는다는 식으로.

가장 먼저 죽는 자는 네타야르다. 메이나르가 신이 아님을 증명하기 위해, 자살을 해서 메이나르가 자신을 기적으로 치료하지 못하면 메이나르는 신이 아니라고 주장하기 위해 네타야르는 자살시도를 했고 죽었고 메이나르는 아무것도 하지 못했고 시라스가 메이나르를 곧바로 죽이려 했고 메클레비타스와 내가 이를 말렸다. 나는 시라스를 공격해 무방비 상태로 만들었고 메클레비타스는 메이나르를 보호했다. 나는 네타야르의 죽음에는 메이나르의 책임이 없다고 주장했고, 아와르가 너무 반발했다. 아와르는 메이나르가 네타야르의 선택을 적극적으로 막았어야 했다고 주장했다. 그러나 나는 메이나르가 그렇게 하는 것은 네타야르의 함정에 빠지는 것이고 자살을 하는 것일 뿐이라고 주장했다.

그래 그렇다면 자살을 하는 것이야말로 신의 의무다 메이나르는 그렇게 생각하려나 메이나르가 자살을 한다면 나는 그의 선택을 존중해야하는가 하는 문제로 고민할 필요는 없으니 이미 메이나르가 스스로 자신의 목숨을 끊었고 나는 그대로 아와르를 죽였다. 총으로 한 번만 쏴서 죽였다!

메클레비타스는 나를 처벌하려 했고 시라스는 여전히 무방비 상태다 나는 시라스를 인질로 삼아 메클레비타스로부터 나를 보호하려 했고 메클레비타스는 신중하게 접근했지 우리 협상을 하자. 시라스와 함께 삼자대면이 시작되었다.

시라스는 일관되게 나의 죽음을 요구 메클레비타스는 나를 살인죄로 처벌을 요구 나는 모두 좋게좋게 넘어가기를 요구했다. 내가 불리했다. 나는 메이나르의 시체를 붙잡고 울었다. 그냥 나도 같이 갈게. 자살할게! 시라스의 바람을 나는 들어주기로 했다. 그러나 메클레비타스는 그러기를 원치 않았고 나를 공격해 무방비 상태로 만든 다음, 시라스와 함께 묶어두었다. 메클레비타스는 이 상태로 나를 처벌하고 시라스를 치료하려 했다. 그러나 시라스가 치료받자마자 메클레비타스를 공격해 무방비 상태로 만들었다. 나는 총을 든 채로 시라스와 대치라니 아니 대치가 아니라 이건 일방적인 살인이지 그래 나는 시라스와 메클레비타스를 모두 쏴죽였다. 진작에 이럴 걸 그랬네!

다시 이야기를 처음으로 돌려보자 나는 메이나르가 주장을 수정하고 별보다 우월한 무언가가 있다고 주장하게 했다. 그 대가로 나는 이 모든 이야기에서 제외되었다. 죽음이 내 머리 위에 있는데 나는 그 죽음을 만질 수 없다고 하네. 나는 살아있어.

나는 들판에서 벗어나서 숲으로 갔다. 그곳에는 아와르가 기다리고 있었다. 나는 아와르에게 첫눈에 반했다. 아와르는 그런 나를 강제로 포획해 자신과 하나로 만들었다. 질문 이 상태에서 내가 아와르를 죽이기 위해서는 아마도 자살을 하는 게 필요하겠지 하지만 현명한 사람이라면 자신이 사랑하던 사람과 하나가 됐는데 나쁘게 생각할 이유가 있는지 없는지 구별을 해도 나는 없는 것 같은데 자 모두 거짓말.

나는 들판에서 벗어나서 숲으로 갔다. 그곳에는 아와르가 기다리고 있었다. 나는 아와르를 공격해 무방비 상태로 만들어 내 노예로 삼았다.

메클레비타스가 말했다. 너는 충분히 시간이 지난 후에 모든 벌을 받게 될 것이다. 먹물을 뒤집어쓴 사람처럼 검게 변해 나중에는 재가 될 것이다.

이제 재미없네.

재미가 없어.

아와르를 시켜서 메클레비타스와 시라스와 네타야르를 죽였다. 이제 메이나르가 신이 되는 길만 남았다.

나는 아와르를 메이나르에게 바쳤고, 메이나르는 신이라기보다는 악마가 되어 나에게 영감을 주었다.

이제 재미없네.

재미가 없어.

너의 죽음을 지켜볼게

너희들은 서로에게서 도망치고 있다. 내가 말한다.

이제 "중심"에서 너희들은 사랑이 아니라 자석을 본다. 그것은 보이는 것이다.

백만 가지 죽음만큼이나 한 구의 시체는 비참하다. 그것은 보이는 것이다.

내가 말한다. 보이지 않는 곳은 "있다". 그곳에 너희들이 "있다".

내가 말한다. 없음을 경멸하는 것이 신을 경멸하는 것이다. 너희들은 진정으로 없는 것을 모른다.

내가 말한다. 소리가 들려오는 곳으로 나팔을 떠올리지 말아라. 나팔이 종언을 고하는 것은 아니다.

신은 항상 약속을 지키고 있다. 신 바깥에서 약속을 지키려 하지 말아라. 그것은 아무 의미가 없다.

"책"에서 노래를 찾는 것은 좋은 것이다. 율법은 노래를 위해 존립한다. 그것을 구별하지 말고 노래를 불러라.

너희들은 도대체 어디서 죽음을 찾고 있느냐? 노래는 죽음을 위해 존립한다. 죽음 앞에서는 제대로 애도해야 한다.

계획된 세계에 의지해서는 안 된다. 계획된 세계를 너희들이 있게 하라. 그러나 신은 아직도 그 다음에 있다.

신은 과거를 만들었다. 그러나 신은 과거가 발견하는 모든 것들을 전부 줄 만큼 여유롭지는 않다.

신이 만일 질투한다면 그것은 이제와서는 전혀 다른 무언가에 대한 것이리라. 신의 자비는 초월적이지 않다.

내가 말한다. 신을 믿지 않아도 신이 있는 곳에 거하라.

내가 말한다. 신을 죽이고자 한다면 신이 있는 곳에 가라.

내가 말한다. 신을 무시하고자 마음먹은 것에서 이미 실패한 것이다.

나의 말을 귀담아듣고 존경하라. 나는 너희들의 구원자를 구원하러 왔다.

너의 죽음은 필연적이다. 이것은 너도 나도 알고 있는 것이다.

그런데 너는 너의 죽음이 얼마나 계속되어야 신의 곁에 갈지 알 수가 없겠구나. 나는 너를 안타까워한다.

잘 들어라. 너는 네가 몸담은 역사가 전부라고 생각한다. 너는 네가 사는 세계가 마지막이라고 생각한다.

잘 들어라. 너는 왜 구원자가 너의 역사에 묶여있다고 생각하느냐? 그것은 신의 의도가 아니다.

너는 왜 예언의 필연성이 예언 바깥에 있다고 생각하느냐? 그것은 예언자의 의도가 아니다.

예언자는 미래가 아니라 미래라고 생각할 수 있는 모든 것을 본다. 그것이 미래를 보는 것보다 더 뛰어나다.

예언자는 너희들이 미래라고 생각해야만 하는 것을 말할 것이다. 그것을 믿고 따르는 것은 예언자의 의도가 아니다.

신은 예언자를 보내지 않았다. 그럼에도 예언자는 신의 말씀에 의한다.

믿음에는 항상 더 높은 공간이 있는데, 너희는 언제까지 그 높은 곳에 대고 소리만 칠 것이냐?

믿음에는 항상 떨어질 수 있는 틈이 있는데, 너희는 언제까지 그 낮은 곳을 두려워만 할 것이냐?

믿음은 너무 높은 절벽과 같다. 너희들은 그곳에 있지 말라. 너희들은 이제 그럴 필요가 없다.

믿음의 절벽이 높지 않아도 옳은 것은 여전히 너희에게 존재한다. 옳은 것을 믿음에 전도시키지 마라.

옳은 것이 존재할 뿐만 아니라 존재 자체가 옳은 것이다. 이것이 신의 말씀이다.

악마들의 속삭임은 어디에나 있다. 너희는 이미 노력하고 있으나 충분치는 않다.

악마들이 삶을 가치 아래에 두려 하는 것은 너희들에게 그만큼의 대가가 필요하기 때문이다.

악마들이 사랑을 역사 아래에 두려 하는 것은 너희들이 구원받는 장소가 지옥이어야만 하기 때문이다.

계시된 종말은 세계를 나락으로 이끈다. 그러나 삶과 사랑을 구원하고 싶다면 그것의 구원자부터 구원해야 한다.

너희들은 무엇을 기다리느냐? 역사를 기다리는 것은 아무 의미 없다.

너희들은 무엇을 두려워하느냐? 구원을 두려워하는 것은 대상을 잘못 찾은 것이다.

나는 너희들의 죽음을 기다리고 있다. 나는 너희들의 구원자가 아니다.

나는 너희들의 고통을 원한다. 그러나 너희들이 그것을 극복할 힘을 주리라.

신의 말씀 속에 거하라. 그러나 지금까지 해왔던 것과는 다른 방식으로 거하라.

나는 말한다. 신의 말씀을 신의 말씀이라 시인하는 것이 신을 기쁘게 하지는 않는다.

나는 말한다. 신의 말씀이 곧 세계가 되었을 때 비로소 신은 기뻐하리라.

나는 말한다. 하느님 나라는 "존재한다." 그러나 너희들은 그렇게 생각하지 않는다.

문화가 곧 너희들의 삶을 떠밀어주리라. 그러나 아직은 오히려 잡아당기고 있겠지.

나는 너희들의 운명을 안타깝게 생각한다. 그러나 운명은 가장 추상적인 것이다.

너희들은 어디서 멈추든 그곳에서 시작하게 되리라.

네가 통해서 오고 있는 공기든, 네가 결국 직접 건너가야 할 바다든, 그곳에 이미 진리가 함께하고 있다.

그러나 신은 여전히 자리에 남아있다. 신은 진리를 통해서만 거하지는 않지만, 진리를 통해서만이 신일 수 있다.

노래가 들려온다고 해서 무조건 춤을 추지는 말아야 한다. 그것이 춤의 기본이다.

세계에 대한 이야기를 할 때는 진지해질 수밖에 없으리라. 그 모든 말들이 너의 세계를 새길 것이다.

신을 찾는 자와 신을 찾은 자는 본질적인 차이가 없다. 이 둘을 구분하려 하지 말아라.

정적으로부터 소리의 상징을 건축하려 하지 말아라. 그것은 소리를 부풀린다.

명령은 자유의 무한이다. 명령하는 것은 적대하는 것들의 죽음을 고하는 것이다.

내가 말한다. 너희들의 감정은 숨바꼭질 같은 것이다. 숨기는 행위와 드러내는 행위를 구별하라.

내가 말한다. 너희들의 논리는 술래잡기 같은 것이다. 잡는 자와 잡히는 자는 무한히 같다.

내가 말한다. 신 앞에서는 놀이를 중지하라. 그것이 신에 대한 존경이다.

그러나 감정과 논리는 본질적으로 같은 것이다. 그것들은 하나에서 나왔다.

또한 너희들은 논리를 위해 감정을 희생하지 말고, 감정을 위해 논리를 파괴하지 말라.

너희들 모두는 추상적인 문제들에 덮혀있다. 그것을 이해하는 것이 타자를 이해하는 데에 기본이 되리라.

그리고 경험된 것들을 신화로 써내지 말아야 한다. 영역들은 침범되지 않고 만나게 되리라.

공동체만이 진리를 실현할 수 있다. 그러나 그것은 너희들이 생각하는 그러한 공동체가 될 수가 없다.

오히려 너희들은 지금까지 가정되어온 모든 것들을 무너뜨리고 난 뒤에야 진정한 공동체를 세울 수 있다.

이것을 유념해야 한다. 네 스스로 신에게 바친 기도를 가장 기억해야 하는 자는 너 자신이다.

기도는 기억을 신에게 맡기는 행위가 아니다. 기도는 신과 너의 약속이다.

스스로 행하지 않을 기도는 바치지도 말아라. 그것은 처음부터 잘못된 약속이다.

이것을 유념해야 한다. 구체적인 법칙은 항상 제자리에 존재한다.

그리고 또한 기억하라. 너희들을 옭아매는 것들은 도처에 존재한다. 그러나 그들은 전부 겁을 먹은 채 있다.

이것이 너희에게 이야기할 전부이다. 그러나 나는 아직 나의 일을 전부 다 하지 못했다.

지극히 낮은 자

나는 아직 여기에 있다. 나는 아직...

그러면, 그는 도대체 어디에 있다는 말인가. 그를 이야기하기 위해서는 그의 모든 것이 재료로서 필요한데, 이 재료들은 하나같이 전부 동일한 본질을 지니고 있어서 굳이 각각의 권리를 보장해줄 필요가 없다. 그래서 사람들은 그가 진정 어디에 있는지 알지 못한다...

나는, 정확히 수천가지로 쌓인 신화 아래 서 있다. 얄팍한 중압감을 덮고 잠을 자기도 하고, 압도적인 중압감을 느끼며 잠에서 깨기도 한다. 그게 내가 하는 일의 전부다. 그러나 이곳에서 신화 더미가 결국 얼마나 부질없는지 모르는 사람은 없을 테다. 나는 아직 여기에 있다. 나는 아직...

꿈에서 깼더니 이건 꿈보다 더한 꿈이다...

틀러먹은 날씨에, 안개보다 흐릿한 내 초점이 안 맞는 현상 때문에, 나는 책을 읽는 것이 어렵다. 그런데 여기서 무슨 이야기가 시작이 될까? 내가 이야기를 한다면, 그것은 하루만에 넘겨버릴 수는 없을 만큼이나 길고 방대한 이야기가 아니다. 그러니 이야기의 시작에도 신경을 쓸 필요가 없는 게. 어차피 이야기를 말하기 위해 내가 바친 것은 결코 없고. 또한 바치겠다고 호언장담만은 스스로에게 몇 번이고 해온 만큼이나, 모든 이야기들에는 의미가 없다; 내가 이야기를 말하는 데에 대체 뭐가 방해가 되는데? 너는 도대체가 내가 세상에 대해 말하고자 하면 그것은 나에 대한 것이고 내가 나에 대해 말하고자 하면 그것은 세상에 대한 것이고; 일단 문화라는 것이 그렇지만, 나는 따돌림도

겪어보았다. 나는 다른 사람들과 대화하기 위해 접근하는 건데, 다른 사람들은 내가 수수께끼를 던지고 있다고 간주한다. 그래도 나한테 비정상이라 말하지는 말았으면 좋겠다. 그걸로 대화가 끝나버리는 게 싫고, 결국 너는 비정상이고 우리가 전제가 안 통하니까 벽 보고 있는 거나 다름없고 너는 그냥 우리 게임에 있지도 않은데 우리 룰을 이해하는 척하고 내려다보고있잖냐; 이러면 나는 거기서 도망친다. 그것밖에 내가 할 게 없잖은가. 그러니까 나한테 비정상이라고만 말하지 말았으면 하고 바라고 있는데. 사실 그렇게 말해줘도 괜찮다. 어차피 이건 괴담이라고 생각해버렸고. 이건 편법이자 꼼수 같은 거다. 게임을 즐기는 가장 기초적인 방법은 의외로 쉽게 터득하는 것처럼 보이지만, 그럼에도 나는 그걸 잘 모른다. 그런데 나는 지금 이 상황을 역겨워하면 안 된다고, 세뇌 비슷한 게 되어 있다. 미안, 내가 낸 문제는 증명도 아니야. 그러니까 네가 이거 들고 나가서 하늘에다 써붙여줄래? 이러면 그때는 해결이 되는 것일 지도; 신념? 아니면 망상? 그런데 이 모든 것에 미학이 없기 때문에 또 촉박해지는 시간이... 시간이 없다; 그래서 최대한 빨리 도망쳐야 한다. 어쨌든, 한번 들어가면, 벗어날 수 없다. 굴레 같은 것을 돌다 보면 그 굴레가 돌고 있는 지 모를 테니까. 그리고 굴레를 볼 수도 느낄 수도 없어질 테고 그러면 내가 굴레에 대해 알지는 못해도 이렇게 가져왔잖냐 하고 말한다 쳐도 그게 무슨 의미가 있지; 생각을 해보면, 무서운 것이. 내가 아무리 돌고 돌아도 팽이를 알게되는 건 아니라는 소리다. 생각이라는 것이 머리 밑에 파열되어 있고, 나는 그걸 진지한 사상인 양 취급했잖아. 멍청아, 네가 본 것이 정말로 네가 본 것이냐? 선문답이라도 필요해질 지경이다. 혹은 반대로: 내가 누군가에게 선문답을 강요한다면, 그 사람은 나의 말을 들어줄까? 내 말이 가닿을 수 있을까? 우리가 어떤 지경에 처해 있든 그게 행운의 여신처럼 보이는 이성의 여신이라면; 역사를 생각하는 것은 미래의 개념을 생각하는 것이고, 미래의 개념은 역사로부터 되돌려받는 것이다. 이 간단한 명제로부터 생각해보면 역시 나에게는 역사가 충분하지를 않다. 역사는 항상 이해 불가능한 희생으로부터 그 흐름이 틀어져왔다. 이것은 역사의 첫 번째 모티브다. 역사는 또한 이간질에 의해 그 흐름이 맞아떨어져왔다. 이것은 역사의 두 번째 모티브다. 그런데 우리가 제 3 의 길을 찾을 수가 없다면, 마법을 믿고 있을 수밖에; 사랑한다는 것도 결국 같은 것 아니었나? 너희들의 수준이 딱 그 정도 수준인데 뭐. 그러니까 너는 나와 같다는 식으로 끌어내리려는 게 아니라 우리는 원래부터 같았다고 계속 말하는 것일 뿐인데 그게 열등감으로 느껴진다면 나는 열등감이 아니라고 할 수는 없지만; 사과하는 법을 배워야겠다는 생각이 든다. 솔직히 아직 나는 도움이 되는 타입이 아니다. 네가 번역이라도 한다면 말을 전달하는 데에 1%의 도움이라도 될 수가 있잖냐, 왜 그렇게 하지 않냐, 따져물어볼래? 나는 정신이 아니라 정신의 추상이 항상 깨어있단다. 그 추상을 밤하늘 가운데 연으로 날려서 자랑하는 거지. 별이 반짝이거나, 달이 빛나거나, 그런 빛을 받고서; 그런데 나는 그렇게 감상적이지 않다. 오히려 나는 이해받을 수 없는 타입일 텐데; 변화를 두려워할 필요가 없고, 희생을 두려워할 필요는 더더욱 없다. 그러나 희생자들은 항상 조심해야 할 걸. 왜냐하면 희생하는 사람들의 의미 자체가 바뀌어가고 있으니까. 그게 우리의 생각을 지배할지도 몰라, 그런 소리는 아냐, 그런데 무슨 생각을 지배해; 내

판단으로는, 희생이 이룰 수 있는 최대한의 업적은 자신 외에 모두를 이해하는 것뿐이다. 달리 말해 인간이 자기 자신을 이해하지 않고도 타인을 이해할 수 있다는 것을 보여주는 것이 희생의 최선이라는 것이다. 이것은 분명히 기적같은 일이리라, 그렇게 생각할 수 있지만, 기적이라는 것 자체가 애초에 신이 오히려 권능과 구분되는 새로운 권능을 희생이라는 매개로 보여준 것에 불과하다. 그런데 이 매개가 중요하다는 것이다. 왜냐하면 그를 통해 지극히 높은 자가 지극히 낮아졌으니 말이다; 혹은, 지극히 낮은 자의 지극히 높은 권리를 보여준 것이다; 그런데 이런 높낮이의 이분법에 무슨 의미가 있겠는가. 내가 누군가를 위해 낮아진다면, 그것은 그 누군가를 높이기 위해서가 아님을 명심했으면 한다. 만약 누군가라는 대상이 여기에 있다면, 그렇게 말하고 싶다. 그러나 일단은 단념해 두고. 내가 무언가를 위할 수는 있는지부터 생각해보는 게 어떨까. 아니면 됐지. 나는 아는 게 없으니까, 상상으로 지식을 생산해내야만 한다. 그러니까 내 말들을 진지하게 받아들여준다면 물론 나는 감사하겠지만, 나를 이해한다는 것은 불가능할 것이다. 상상의 지식을 어떻게 이해하겠는가. 인간의 한계가 거기에 있다. 그래도 나는 사람들이 나를, 아니 내가 하는 말을 이해해주었으면 한다; 우선 이 두 가지가 그렇게 쉽게 구분되는 것인지부터 생각해보면, 영혼과 정신의 차이와 비슷하게, 정말 애매모호한 것이라는 사실을 발견할 수 있다. 하지만 나는 적어도 나와 나의 말을 구분하고 살아간다. 적어도 내가 그렇게 살아가니, 구분된다고 해도 무리는 아닐 테다. 나는 나의 말을 항상 내놓고 살아가는데, 이것은 마치 여행과도 같다. 왜냐하면 여행은 항상 새로우면서도, 결국 현실에서 벗어나거나 인간에서 벗어날 수는 없는 거니까, 나의 말도 마찬가지다; 네가 나의 죽음을 모든 세상에 알릴 수 있다면 그렇게 해봐. 그때는 내가 정말로 부활할 거야. 그렇지 않겠니? 정말로, 정말로; 나는 그런 신화를 믿지는 않는다. 하지만 만약 정말로 그렇게 된다면, 존재자 하나를 부활시킨다는 것은 참 어렵구나 싶을 것 같네. 이런 헛소리는 무시해도 괜찮다. 어차피 서로 대화하자고 맞선 거 아니잖아? 싸우자고 맞선 거잖아? 그러니까 주먹다툼 대신에 서로 행복한 싸움을 하자는 거란다. 알아들었으면 입부터 풀어볼래? 나는 그렇게 말할 것 같다. 적어도 그럴 에너지가 있다면 말이다. 그라고 지금 그렇게 말하고 있잖냐; 혹시나 싶어서 내가 어디에 있는지 생각해보기도 했다고. 나는 내가 어디에 있는 지 알기 위해 온 세상을 뒤져볼 만큼 낭만주의자는 아니란다. 내가 확실히 아는 건, 나는 아직 여기에 있다는 사실뿐이다. 정말로 그뿐이다. 여기서 내가 할 수 있는 일은 나의 사라지는 영원성을 쓰다듬어주는 것뿐이고, 그것이 단명에 대한 나의 방식이다. 혹은, 죽음이라는 것은 생명의 내부에 있는 것이 아니다. 왜냐하면 죽음은 생명이 절대로 상상할 수 없는 것이기 때문이다. 부활을 상상하는 편이 차라리 죽음에 더 가까울 테지만, 역시 글쎄다 싶을 걸; 그러면 역시 어쩔 수가 없다는 것이다. 너는 나와 함께 별을 보러 갈래? 이건 단순한 놀이라고 생각해 두고 말이야; 하지만 귀찮을 지도 모른다. 내가 여기서 바라는 것이 그런 귀찮음을 물리치는 거라고 생각지 말아줬으면 한다. 그저 풍경이 존재하고 있으니까, 그게 나에게는 조금은 도움이 된다. 소음과 함께하는 자에게는 더욱더 그럴 수밖에. 내가 아무리 높이 올라가도, 내가 떨어지는 것이 세상을 덮게 되지는 않듯이, 내가 보는 풍경도 그와 꼭 마찬가지다; 내가 스스로 인식하게 해주는 기계 같은 것이 돌아가고 있는데, 이 기계 같은 것에게 안식은 존재하지 않을 것이다. 그렇다면 내가 보는 풍경에도 안식은 존재하지 않는다. 이것은 풍경과 소음을 통합시킬 수 있게 만든다. 마치 처음부터 세상이 그랬던 것처럼; 애초에 나는 그러고 싶지는 않았지만 말이다. 오히려 나는 분리하고 싶었다. 나에게 보이지 않지만 나에게 유일하게 실재하는 무언가가 있다고 말하고 싶었다. 그러나 이제와서, 실재하는 것이야 어떻든 나는 괴롭다. 그래서 풍경이 필요하다. 그렇지만 아직 나는 여기에 있다. 더 새로운 풍경을 위해 나를 여행에 이끌어줄 사람이 필요하다고, 이제야 실감하고 있다. 나의 실재성을 버릴 만큼 중요한 여행이 있다면 아마 그런 것이리라. 하지만 나는 아직 여기애 있다. 나는 아직...

거짓말쟁이 노트

<나는 소음과 함께한다>가 세상에 나오고 삼 년이 지났다. 작가는 자살했고, 책은 조용히 묻혔다. 나는 이 상황을 별로 좋게 생각하지 않는다.

이 작가의 삶은 어떻게 보면 단조로웠다. 그럼에도 그 단조로움을 유지하기 위해 작가는 안간힘을 써왔다. 그의 삶은 행복할 수밖에 없다고 부모는 처음에 주장했다. 작가가 처음 자살시도를 하자, 부모는 생각을 고쳤다. 이것이 무한히 반복되다가 어느 순간 고리가 끊기고 말았다.

작가는 저 책을 쓰기 위해 많은 여타의 문학가들을 참조했다. 모리스 블랑쇼, 사뮈엘 베케트, 클라리시 리스펙토르, 에드몽 자베스, 알베르 카뮈 등등... 그러나 그들 중 어느 누구도 작가가 원하는 것을 말하고 있지는 않았다. 작가는 단지 "이렇게 써도 된다"는 것을 허락받고 싶었던 것인데, 그 대상을 과거의 아방가르드 유산에서 찾은 것은 심히 안타까울 따름이다.

물론 작가가 저 책을 쓴 것은, 정말 우연한 여러 계기들이 겹친 결과였다. 우선 작가는 많은 예술작품에서 레퍼런스를 찾아왔다. 그것이 실제 내용과 일치하든 말든 그것은 관심 밖이었다. 그런데 이 기획이 어느 순간 작가에게 훨씬 더 중요해졌다. 그것은 경조증이 작가에게 발현되고 나서, 작가가 세상을 위한 책을 써야 한다는 생각을 한 후였다. 원래 단순히 아방가르드 관념 문학의 단편집으로 기획되었던 것에 실제적인 내용이 붙었다.

사태의 진행은 계속된다. 작가가 헤겔 철학에 경도되고 나자, 헤겔의 정신철학 전반의 논리가 책의 이념에 반영이 된다. 그러나 작가는 자신이 주화입마에 들어섰음을 이미 알고 있었다. 그럼에도 이것을 놓지 않은 것은, 이 책을 일종의 유서로서 내고 나서 자살하겠다는 생각에 확신이 있었기 때문이었다.

자, 이제 본론으로 들어가보자. 책이 나오고 3 년이 지났다. 무엇 하나 달라진 것이 없다. 작가가 책에서 사태의 중심이라고 본 것은 인식론이었다. 우리가 세상을 무엇이라고 생각해야 하는가, 과연 우리의 정신과 동떨어진 '진짜 현실'이 존재하는가, 작가는 생각했다.

그리고 사실은, 작가에게 문학이란 이미 실패한 전달 형식이었다. 거짓말쟁이의 말들로는 사람을 설득할 수 없다. 작품이 쓰이고 나면 작가는 죽어야 한다고 해서, 작가가 진짜로 죽었을 때 그것을 기회로 여기는 사람은 없었다. 그렇다면 작가는 죽어서는 안 된다. 작가를 죽여서도 안 된다.

그래서 작가는 자신의 진짜 의도를 노트로 남기기로 했던 것이다. 그러나 이 과제가 나에게 내려왔다. 작가를 소중하게 여겼던 친구로서, 지금부터 내가 하는 모든 말들은 이 책의 의도나 마찬가지다. 내가 그 권리를 가지고 있다.

일단 작가의 의도를 알기 위해서는, 그가 처음에 의도했던 것은 소소한 것이었음을 알아야 한다. 그는 단지 타인과 공감하고 싶었기에, 타인과 이야기하고 싶었기에 말을 건네는 형식으로 관념을 택했다. 또는 오히려 관념적 세계가 그가 살고 있는 세계였기 때문에, 그것에 공감할 수 있는 누군가를 찾아 헤맬 수밖에 없었다.

그러나 작가의 문제의식은 더 커진다. 사람들이 서로를 이해하지 못하는 전체적인 상황 자체를 문제 삼게 된 것이다. 바로 자신의 문제는 이러한 전체 속에서만 해결될 수 있다고 보았고, 그것이 저 책의 투박함과 미숙함을 불어넣었다.

<나는>은 아주 투박하다. 형식이 중구난방이며, 내용은 아주 튀고, 관념을 섬세하게 사용하는 것에 대하여 인색하다. 작가는 이미지즘과 리얼리즘을 혐오했으나 딱히 자신이 더 나은 무언가를 제시하지 못함을 알았다. 그래서 작가는 그냥 그 책을 유서로서 남기고 생의 바깥으로 도망쳐버린 것이다.

작가는 신학적 모티브를 위해 성경도 부분적으로 읽어보았고, 철학 저서를 세세하게 읽은 뒤 하나하나 요약하기도 했지만, 전부 허사였다. 상황을 바꾸기 위해서 자신 혼자서 할 수 있는 것은 아무것도 없었다.

그래서 작가의 전략은 이랬다. 자신에게 공감하는 사람이 만일 있다면, 그 사람에게 이런 메시지를 전해주자. 그게 가능하다면 분명 그것은 단 한 명은 아닐 테니, 그 사람들에게 책임을 떠넘기자. 이 세상이 조금 더 나아지기 위해, 무엇을 말해야 하는지를 말해주자. 그리고 작가는 당연히도, 진리를 말해야 한다고 생각했다. 진리는 신이었다.

작가는 헤겔의 기본 아이디어에 동의했다. 현재 교회가 아무리 쓰레기여도 교회 자체의 개념은 즉자 대자적으로 옳은 것이다. 그래서 현재 교회의 무능함은 개념으로 고양시킴으로서 정화될 수 있다. 여기서 철학은 분명 중요하지만, 작가가 보기에 철학을 어떻게 사용해야 하는지를 아는 사람은 한국에 단 한 명밖에 없었다. 그러나 그 한 명은 결국 인터넷에서의 한 유저일 뿐이었다.

그런데 작가가 처음에는 도저히 동의하지 못했던 한 주장, 즉 인간의 의식의 내용은 인식과 구별되는 외적 현실에 의해 좌우된다는 주장을 나중에 가서는 부분적으로 받아들였다. 따라서 작가는 세상이 망하길 빌었다. 모두가 고통받고 난 뒤에야 모든 것이 재건될 것이라는 종말론적 사상을 승인했다. 그러면서도 한편으로는 그것을 거부했는데, 이것이 미숙한 긴장으로 나타나고 있는 것이다.

작가는 마침내 초심으로 돌아갔다. 그저 이런 생각도 한다는 점을 받아들여줄 수 있는 누군가가 한 명만 있으면 좋겠다고 생각하는 데에 그쳤다. 문제가 되는 것은, 작가 자신도 그런 사람이 있으리라 믿지 않았고, 그래서 결국은 자살로 생을 마감하게 되었다는 것이다.

그렇다면 이 책의 모든 내용에는 결국 아무런 의미가 없어지고 만다. 적어도 작가 자신의 입장에서는 그렇다. 작가는 철학을 전개할 만큼 똑똑하지 않아서 문학을 이용한 비겁자일 뿐이었고, 그것이 자신의 우월함이라고 진심으로 믿었다. 그러나 작가의 모든 아포리즘을 진지하게 받아들이는 사람이 있다면, 그는 결국 작가와 똑같은 길을 가게 될 뿐이다.

그런데 여기서 내용이 끝나는 것은 아니다. 작가가 <나는>에서 말하는 모든 내용들을 진심으로 믿고 따르지는 않았기 때문이다. 단지 그러길 원했을 뿐이다. 작가는 오히려 세상 모두는 서로를 이해할 수 없기에 영원히 고통이 반복된다는 사상 역시 마음 속 한켠에 가지고 있었다. 작가는 "너의 죽음을" 기다리고 있었다. 타자가 사라진 삶이야말로 가장 좋은 것이라고 생각했다.

이제 긴장은 이해 불가능성과 가능성의 모순으로 나타난다. 작가는 결국 어느 쪽의 손을 들었는가, 그것은 명백하게 전자라고 할 수가 있다. 그럼에도 후자를 말하려 하는 것은, 지금까지 문학가들이 한 방식과는 아주 조금은 차이를 보이고 있다. 왜냐하면 작가는 실제로 이해 가능성의 사상을 진지하게 검토하고 승인했기 때문이다. 분명 작가는 진리를 말해달라고 요청하지 않았는가?

이런 점에서 헤겔과 마르크스의 관계는 헤겔 본인의 사상만큼이나 중요하고 또 많은 것을 말해주는 것이다. 작가 본인의 삶은 온통 이해받지 못함으로 점철되어 있었다. 사상과는 다르게, 자신이 경험하는 현실은 그랬다. 마르크스 역시 이렇게 사상과 현실을 분리했다. 적어도 작가는 그렇게 생각했다.

우리가 어떤 담론을 필요로 하는지를 결정하는 것이 문화다. 그렇기에 작가는 문화 속에서 경험과 사상을 통합하려 했다. 직접적으로 말해서, 작가는 문화 속에서 자신이 이해받지 못하는 이유가 세상 때문이라고 한탄하고자 했다. 그것이 <나는>의 본질이며, 실제적이고 현실적인 모습이다. 그러므로 저 책은 추악하다. 결국 세상을 탓하는 데에서 그치고 있기 때문이다.

작가에게는 심지어 장편을 쓸 능력이 부족해서 짧은 단편만을 모아놓고는, 그것도 고작 12 편으로 족하다고 정해놓고 있었던 것이다.

그럼에도 나는 이 상황을, 그러니까 저 책이 아무 관심도 받지 못하고 묻힌 이 상황을 별로 좋게 생각하지 않는다. 그의 추악함이 낱낱이 드러나기를 원했는데, 예상보다도 관심이 없었던 것이다. 결국 저 책이 바꾼 것은 아무것도 없었다.

내용에 대한 이야기는 이쯤에서 마무리짓자. 이제 마지막으로 작가의 자살에 대한 이야기를 하려고 한다. 작가는 자신의 생각들이 터무니없었음을 경조증이 끝나고 나서 다시금 깊게 자각했다. 그 때 나에게 연락이 왔다.

"나, 책에서 가장 중요하다고 생각했던 부분들 다 대충 땡땡이치고 넘어갈까봐."

라는 말로 시작해서, 책을 그저 소소하게 썼으면 더 좋았을 뻔했다는둥, 자신이 장편을 쓸 능력이 안 되는 것이 너무 비참하다는둥, 별 소릴 다 했다. 그러길래 나는 이렇게 말했다.

"그냥 책을 읽고 쓰며 살고싶은 거 아냐? 도대체 뭐가 그리 문제인데? 내가 보기에 네가 제일 자유로워 보이는데? 백수짓하면서 공부도 안하고 예술이나 하겠다면서 설치는 아들을 정성껏 보살펴주시는 어머님께 분노 표출이나 하는 주제에..."

그러자 전화를 끊어버리는 것이었다.

솔직히 나는 작가의 조울증을 이해하지 못했다. 정신병을 어떻게 감히 이해할 수 있겠는가. 그렇지만 나는 그런 말을 한 것을 아직도 후회한다. 그게 혹시나 작가가 자살하는 데 영향을 미친 것이 아닐까 싶어서, 이제 와서 죄책감이 든다.

하지만 솔직히 나는 작가가 밉다. 미운 마음이 더 크다. 왜냐하면 작가가 자살하기 전날 밤, 정말 이전과 아무 차이 없이 평범하게 대화했기 때문이다. 징조 따위는 없었다. 그러면서 자신의 책에 이 글을 수록해달라고 나에게 전달했다. 나는 어쩔 도리가 없었다. 나에게도 기어코 책임을 떠넘기는구나...

그래서, 이게 끝이다. 이 글이 책에 수록되기만 하면, 이 책에 자칫 있을 수 있는 오독을 줄이게 되지 않을까 기대한다. 그리고 내 친구에게 명복을 빌어주시길 바란다. 나쁜 친구였지만, 그건 아무런 상관이 없을 테다. 명복을 빌어 주는 건 좋은 거니까...

소리 없는 도시

"만약 어떤 사람이 열릴 수 없는 문을 열어달라고 하면, 나는 그 문을 기꺼이 부숴버릴 수 있을 걸. 하지만 그 사람이 열릴 수 없는 문을 강제로 열기를 시도하면, 나는 그 사람을 기꺼이 부숴버릴거야."

온통 먼지로 가득한 폐허가 시야에 드러나고 있다. 그런데 이곳은 이 국가의 유래가 되는 도시였다. 이름은 슈를르브로, 한국어로는 '수도'라는 뜻이다. 다르게는 슈를레브라고도 읽는다. 아니면 슈를레베? 아니면 슈를렙? 모르겠다. 어쨌든 이 도시는 더 이상 도시가 아니라 폐허가 되었다. 그러나 어쨌든 도시의 외관은 유지하고 있다.

"원판을 돌고 있는 팽이를 손대지 않고 멈추게 하는 방법은 간단해. 기다리면 돼. 하지만 여기에 굳이 손을 대야만 하는 이유가 있을 수도 있지."

이 도시가 폐허가 된 지는 7 년이 지났다. 그리고 이곳은 내 고향이기도 하다. 7 년 사이에 무슨 일이 일어났는지 나는 모르고, 오히려 그것을 알기 위해 찾아온 것이지만, 정말 죽은 듯이 조용하다. 아무런 생명체도 없고, 이따금씩 바람 소리가 들리는 것이 전부다. 말그대로 소리가 없다.

"건드리지만 않으면 터지지 않는 폭탄이 있었대. 그런데 그걸 누군가 자꾸 건드리려 하길래 사람들이 필사적으로 막았대. 건드리려는 전략은 점점 고도화되고, 그걸 막는 전략도 고도화됐대. 그런데 결국 누군가의 실수로 터져버린 거야. 주위에 있던 모두가 죽었지. 전략을 위해 고용된 인력만 이십 명이었다고 해."

하지만 유일하게 소리를 내는 두 가지, 바람뿐만 아니라 내가 있다. 나는 도시의 건물들을 굳이 건드리지는 않았다. 나는 대신에 목청껏 소리를 질렀다. 도시 전체에 들리라는 의미로. 혹시나 대답이 있을까, 생각이 들었지만 역시 대답은 없었다. 나는 일부러 리듬에 맞추어 걸음 소리를 내며 걸었다. 소리를 위해서다.

"어떤 바보가 있었지. 바보는 자기 방을 그려놓고 그걸 세계지도라고 불렀어. 그러더니 자신이 세계를 소유하게 되었다고 좋아했지. 한편 그 바보를 바라본 또 다른 바보는 진짜 세계지도를 가져와서 원래의 방 그림에 갖다댔어. 그 이유가 뭐였을까? 아마도 정말로 세계를 소유하게 해주고 싶었던 게 아닐까?"

나는 도시에서 가장 큰 건물을 멀찍이 바라보았다. 원래는 백화점이었던 것이라 겉치장이 화려했는데, 지금은 다 망가져 있다. 불빛도 꺼져있고, 소리도 안 난다. 나는 그리로 걸어가기 시작했다.

"앵무새에게 내 말을 정확히 반대로 뒤집어보라고 하면 어떻게 될 지 모르는 사람은 없겠지. 하지만 나는 그것도 의미가 있다고 생각해."

걸어가는 도중에 작은 주택가에 들어섰는데, 여기서는 오히려 위화감이 들었다. 분명히 사람이 아무도 없을 텐데, 저 주택들 안에 사람들이 있고 지금 나는 아무도 외출하지 않은 주택가를 걷고 있을 뿐인 걸지도 모른다는 느낌이 들었다. 하지만 그럴 리가 없다. 겉으로는 도저히 모르겠지만 그래도 나는 확신한다. 여기는 이제 소리 없는 도시다.

“죄수의 딜레마 게임을 통해 석방된 사람이 있었는데, 이 사람은 그 후에 단 한 번도 죄를 짓지 않고 사회에 올바르게 적응했다고 해. 그런데 실제로 보니까 그 사람은, 그게 게임이 아니라 장난인 줄 알았다는 거야.”

나는 원래 백화점이었던 건물 속으로 들어갔다. 상품은 거의 존재하지 않고, 가구들만 덩그러니 남겨져 있을 뿐이다. 에스컬레이터도 앨레베이터도 겉으로 봤을 때는 작동하지 않는 것 같다. 굳이 봐야만 알 수 있는 것은 아니지만, 실제로 앨리베이터 버튼을 눌러 보니 정말로 작동하지 않는다.

”어떤 나라에서는 살인자의 장례를 치르기 위해서는 반드시 시체가 충분히 부패할 때까지 약 한 달 정도를 기다린대. 다른 나라 사람이 보니까 미친 것 같아서 항의를 했대. 그러니까 시체가 부패하지 않았다는 것은 영혼이 신체에 남아있다는 것이고, 살인자의 영혼이 철저히 고독하게 죽어가도록 놔둔다는 거야.”

나는 결국 비상계단을 이용해 올라갈 수밖에 없었다. 나는 옥상까지 올라가서 도시를 훑어보았다. 정말로 깨끗하다. 관리가 안 되어 있다는 점조차도 깨끗해보일 정도다. 사람이 없다는 게 좋아보인 적은 드물었는데, 이 도시의 경우 구조 자체가 여유공간이 적어서 사람이 많으면 징그러울 수밖에 없는 것이기도 하다.

“예전에는 꿈을 꾸고 나면, 그 꿈을 현실과 구분하지 않기 위해서 애를 쓴 적도 있었어. 그게 꿈이 아니라고 믿기 위해서 필사적으로 노력했지만, 실패했지.”

나는 옥상에서 네 가지 방향으로 도시를 보았다. 동쪽에는 도시의 중심가가 위치해 있고, 서쪽과 남쪽으로는 학교라든지 공공기관이나 공원 같은 것들과 주택가 등등이 늘어서 있다. 그런데 도시의 북쪽에는 그런 것과는 전혀 다른 무언가가 있다. 엄청나게 방대한 공터이자 광장, 이 도시의 상징이 존재한다.

"밥을 먹을 이유가 없다는 이유로 밥을 먹지 않고 죽은 사람도 있었어. 그런데 그게 정말 밥이라는 주제에 국한된 거였을까? 진지하게 그렇게 보는 사람은 아무도 없겠지. 그렇다면 진지한 관점은 뭘까?"

나는 다시 1층으로 내려가서, 백화점 바깥으로 나왔다. 내가 이제 향할 곳은 이 도시의 공터다. 이 도시에서 아마도 가장 소리가 없고 가장 바람이 세찰 테다. 그러나 그곳에서 무슨 일이 벌어졌든 내가 알 수 있는 것은 없다.

"게임을 간접적으로는 어떻게 플레이할 수 있을까 궁금해져서, 무조건 훈수대로 할 사람을 구해서 간접적으로 플레이를 해봤어. 누가 더 재미를 느꼈을까? 어쩌면 둘 다일지도 모르지."

그런데 사실 공터로 가는 길은 꽤나 멀다. 우선 방향이 두 번 바뀌는 도로를 따라 쭉 걸으면 그걸로 1km 쯤 되리라 가늠할 수 있다. 그 다음 나는 본격적으로 공터로 진입하기 위해 그것을 둘러싼 주택가를 헤쳐나가야 하는데, 이 과정에서 높낮이라든지 하는 굴곡이 좀 있다.

"한 테러리스트가 갑자기 나타나서는, 무기도 없이 인질을 묶어서 협상극을 시도한 적이 있었어. 하지만 테러진압대는 그가 무기가 없다는 바로 그 이유로 그가 투항한 것으로 간주했고, 무방비하게 쳐들어갔어. 그 때문에 테러리스트와 인질이 모두 같이 죽었지. 테러리스트가 인질의 머리를 발로 차서 깨버렸거든."

그럼에도 공터로 도착하고 나면, 이렇게 허무하게 넓은 공간이 나를 반겨준다. 이 공터의 중앙에 서면 다른 모든 것들이 배경처럼 깔아주는 것처럼 흐릿하게밖에는 보이지 않을 정도다. 바닥은 다소 평평하고, 포장은 좀 많이 갈라져 있고, 그 외에는 아무것도 없다.

"내가 다른 사람들에게 아무리 나를 죽여달라고 말해도 이를 들어줄 사람이 없는 것처럼, 세상에는 감정이 실재하는 것이라고 진지하게 여기는 사람이 없어. 심지어 자신의 감정조차도 실재하는 것이 아니라 자신의 내부에서 자신과 맞대고 서 있는 성질 같은 것으로 여기지."

나는 이곳에서 계속 나아가, 내가 공터로 진입한 곳의 반대편으로 도착했다. 여기서 계속 걸으면 도시가 끝나고, 건너갈 길 없는 산이 가로막고 서 있을 테다. 그리고 이 주변에 내가 원래 살던 집이 있다.

"악마들은 지옥이 곧 천국이라 주장할 테고, 천사들은 천국만이 천국이라 주장할 테지. 그런데 신이라면 지옥을 지옥이라 언명할 수 있을 걸."

나는 내 집을 찾아 들어갔다. 이사한 흔적에 텅 빈 모습만이보인다. 나는 그 자리에 누워서 도시를 망상한다. 하지만 더 이상 아무런 망상도 나에게는 떠오르지 않는다. 내 앞에는 집밖에는 존재하지 않는다. 그리고 나는 그것을 그저 받아들일 뿐이다.

소리 없는 도시는 전혀 도시라고 할 수가 없다. 그러나 일반적으로 봤을 때 소리는 도시가 아니라 체계가 만드는 것이다. 인간은 그 사이에서 어디에도 낄 수 없다. 그러니까, 내가 내 집으로 돌아온 것은 대단한 무언가를 위해서가 아니다. 누군가는 이 도시를 기억해야 한다. 모두가 떠나버린 공간이긴 해도, 그리고 나조차 떠날 수밖에 없었긴 해도, 결국 나만은 이 바깥에서는 오래 살아갈 수 없었던 것이다.

나는 깊은 한숨을 쉬며, 깊은 잠에 들기를 바라고 있다.

망상의 사각지대

밤 산책, 너는 길을 찾고 있다.

“길을 돌아서 간다고 생각했는데, 도대체 왜 벌써 목적지에 도착한 걸까. 나는 지금 내가 원래 가려 했던 길이 어디였는지 찾고 있어. 기억이 뚜렷하게 나는데, 아무래도 시간에 차이가 나는가 보네. 몇 년이 지났더라?”

밤 산책, 너는 길을 돌아서 가고 있다.

”아 맞다, 나는 집으로 가고 있었지. 그런데 나는 전화소리가 싫어서 전화기는 집에 두고 다녀. 아무래도 위치를 찾으려면 또 한참 돌아다녀야겠네….”

밤 산책, 너는 편의점을 찾았다.

“아. 음. 말하는 거야 익숙하지만, 글쎄. 사람들은 항상 내 목소리가 너무 작다고 말해. 그래서 가끔은 목소리 말고 고개나 손짓으로 대답해. 내가 자기들을 무시한다고 생각하지는 않겠지? 아니면 정말로 무시하는 게 맞나? 그야, 목소리를 크게 내는 게 그리도 귀찮아서 제스쳐를 사용한다는 거니까. 모르겠지만, 편의점은 안 갈래.”

밤 산책, 너는 멀리서 네가 사는 건물의 윤곽을 보았다.

“가끔은 이럴 때마다, 정말 재미있는 생각이 들곤 해. 저쪽으로 가면 내 집이 나온다고 말하고 있는 거잖아? 그럼 이렇게 말하고 있는 사람은 누굴까? 저 건물이 말하고 있나? 아니면 내가? 정말 웃기네, 그래봤자 안 믿을 텐데. 왜인 줄 알아? 건물이 말을 한다는 건 당연히 거짓말일 테니까, 결국 내가 말을 하고 있다는 건데, 나는 헛소리밖에 안 하는 사람이라는 거지. 그래서 멍청이들을 위해서… 아니, 멍청이들이 누군데? 제발, 주어를 분명히 하라고, 멍청아!”

밤 산책, 너는 네 집 주위를 빙빙 돌고 있다.

“나는 알고 있는데… 그야 알고 있는 게 당연하잖아.. 나는 결국 내 집 주위를 돌고 있다… 왜냐하면 이건 산책이니까… 산책이라는 게, 아무리 복잡해도 산책이니까 전부 해결이 되는 거라고…아니면 내가 무슨 자살이라도 할까봐? 옛날에 사람들은 아마 그랬을 지도 모르지. 그런데 나는 봐봐, 아주 멍청하기 때문에, 아주 깨끗하다니까. 순교라면 얼마든지 할게. 만약 나같은 것도 종교를 만들 수 있다면 세상은 아주 따뜻한 곳일 것 같은데. 아니면 신을 믿어야 하나? 자살을 순교라고 하기 위해서… 아니, 이건 거짓말이야. 진짜로.”

밤 산책 끝, 너는 네 집으로 들어간다.

"정말 많이도 걸었네. 얼마나 걸었는지는 모르겠지만, 다리가 아픈 걸 보니 많이 걸어서 왔어. 분명하게도, 나는 엄청나게 많이 걸은 거야… 도대체 왜? 많이 걸어서 좋을 게 뭔데? 나는 운동이 제일 싫어. 운동을 하라고 하는 사람들도 싫어. 그건 에너지를 그야말로 낭비하는 일이라고. 내가 정말 진실 하나를 알려줄게, 사람들에게 운동을 하라고 하는 건, 에너지를 낭비시키기 위해서야. 네 에너지를 절대 생산적으로 사용하지 말라는 의미에서 그런 말들을 하는 거라고. 이걸 이해할 지능이 된다면 아마도. 음… 더 할 말이 있었는데."

방 내부. 따뜻하게 휴식 중.

"고생하고 나서 이렇게 쉬는 건 정말 좋은 일 같아! 기분이 좋아지니까, 그런 건 전부 좋은 거라고 생각해. 아니 물론, 전부라는 말은 아니지. 논쟁하지 말자고. 논쟁은 쓸데없는 거야. 쉬는 건 좋은 건데. 이렇게 비교해보면 세상은 너무 이상하지. 일할 시간에 쉬면 더 좋은 거 아닌가. 아니, 아니지 그건. 아니지만 그래도 논쟁하지 말자고. 논쟁은 쓸데없는 거야. 그럴 시간에 일이든 휴식이든… 아니 전혀 휴식을 안 하고 있는데. 들어봐. 가만히 있어. 너 때문에 내가 이렇게 힘든 거잖아? 그걸 지금까지 몰랐던 내가 정말 어리석네. 너는 그냥 거머리같은 벌레일 뿐이었어. 너는 그냥 멍청한 벌레일 뿐이었어. 너는 그냥 멍청이야, 제발 그만, 네가 멍청하지 않았으면 내가 이런 말을 하겠니? 제발 가만히 있어. 내가 휴식을 취하게 내버려둬."

방 내부. 혼자서 허공에 대고 열을 내는 중.

"아... 나는 진정할게. 인정할게. 일단 약을 먹어야겠다. 뭐라고 하더라? 의사가 병명을 정확하게 알려주지 않아서 잘은 모르겠네. 아무튼 의사가 말하길 나한테 정신병이 있다는거야, 뒤돌아보니 정말로 정신병에 걸린 내가 있었고, 그런 나는 정신병에 걸린 나를 보는 나에게 화가 나서 달려갔고, 정신병에 걸린 나를 보는 나를 보는 나는 어이가 없어서 도망쳤던 건데… 아 물론 이건 의도적인 거야… 그래, 이런 건 증상에 없어. 나도 알아. 어쨌든 내 안에서 두 개가 있다는 말을 하고 싶은 거라고. 정신병을 즐기는 것은 전혀 아니지만, 나는 내 정신병을 가볍게 여기는 내가 싫어. 그런 나에게 내 정신병이 얼마나 심각한 건지 증명해주고 싶어. 그런데 그렇게 하면, 적어도 타인들은 나를 더 이해하지 못하거나, 아니면 컨셉이라고 생각하겠지… 나는 컨셉을 잡는 것은 아니지만… 아니 맞나? 모르겠네. 어차피 나는 그런 컨셉들에 뒤덮여 있을 뿐이라고 나는 생각해."

방 내부. 약은 안 먹고 혼자서 중얼거리는 중.

"사실 나는 약을 먹는 게 좀 싫어. 정말 이렇게까지 해야만 치료가 되는 건가 싶다고. 이번 한 번만 안 먹어볼까? 세상 사람들에게 내가 얼마나 정신병자인지 보여주는 쇼를 하는 거지, 물론 장소는 내 방 내부겠지만."

그래, 먹지 말던지.

"그래."

그럼 이제 어떡할 건데?

"나는… 평소처럼 수다를 떨 거야. 너는 모르겠지. 나는 표현하지 않아. 표현하는 대신 늘어놓는 거야. 너는 몰라. 그러니 내가 표현했다고는 생각하지 마. 그러니까, 내가 하고 싶은 말은, 나는 생각하는 대로 생각할 거라는 말이야. 예를 들면, 가방에 들어있던 탄산음료를 바닥에 집어던진다거나, 지나가는 행인의 손을 덥석 잡는다거나, 양 팔을 날개처럼 흔들며 돌진한다거나, 벽돌의 금 간 부분을 칼로 잘라내 분리시킨다거나, 모기를 코로 마셔버린다거나, 도로 입 밖으로 뱉어버린다거나, 사실은, 누구나 생각하는 동시에 아무도 생각하지 않는 나만의, 생각한다기보다는 생각하게 된다는 느낌의, 본능에 가까운 생각들을 그대로 생각해낼 거란 말이야. 예를 들면, 거리를 걷는 도중에 땅이 무너져서 가라앉아버린다거나, 방 안에 피가 너무 고여있어서 퍼낼 수조차 없다거나, 그런 일들이 한 번 일어난다면, 되돌릴 수 없겠지? 그러한 것들은 표현이 아니야. 단지 생각일 뿐이고, 의식적이지 않은 의식인 거야. 내가 상상을 하면 상상 속에서 그런 일들이 벌어져. 나의 의도와는 상관없이 땅속으로 꺼져버리고, 방 안이 무언가로 가득 차버리고, 몸이 부풀어 올라 버리고, 그렇지 않으면 녹아내려버리는 거지."

그거 멋지네. 그렇게 해야 하는 이유가 뭔데?

“아 그래. 이건 살아오면서 수만 번 받아온 질문이네. 스팸 메일함으로 보내면 되나?”

메일함이라는 게 니 머릿속에 있었다면 너무 다행이지.

“일단, 아니 도대체 왜, 아니 도대체, 씨발.”

앞으로의 일정을 기억해봐. 제일 먼저 뭘 해야 하지?

“약은 먹지 않기로 했고, 그러면 일정이랄 게 없는데? 나 엄청 한가해! 매일 매일이 쉬는 날들이지. 단지 가끔 엄마가 시키는 심부름만 하면 되는데, 대부분 마트에서 뭔가를 사오는 것뿐이라서 쉬워.”

엄마는 지금 어딨는데?

”몰라. 엄마가 무슨 일을 하시는지도 나는 몰라. 어릴 적에도 사람들이 그런 질문을 하면 대답을 못했는데, 그럴 때마다 나쁜 아이가 된 것 같아서 힘들었어.”

이럴 때는 엄마가 언제 돌아오시는지도 대답해야지.

“아, 엄마는 보통 새벽이 되어서야 돌아오셔. 그래서 밥도 내가 직접 해먹지. 사실 엄마가 돌아올 때쯤에는 잠들어 있어야 해. 엄마가 매일 새벽 나를 확인하시거든. 내가 잘 지내고 있는지, 제 시간에 자고 있는지 같은 것들 말야. 가끔은 설거지가 안 되어 있다고 화를 내시기도 하는데, 또 어떤 때는 그냥 넘어가주셔. 나는 사실 어느 장단에 맞춰야 할 지를 모르겠어. 어쩌면 설거지를 했어도 화를 내지 않았을까? 엄마는 나를 싫어하나? 내가 정신병자라서? 나를 정신병자로 키운 게 누군데? 진짜 멍청하네. 엄마가 미워.”

엄마는 아무 말씀도 안 하지 않았어?

“그래. 미안해.”

아빠는 아마 없겠지. 말하는 것만 봐도 알아.

“그래. 맞아.”

그럼 됐어. 아마 곧 잠에 들어야겠네.

“하지만, 솔직히, 나는 잠에 든 척을 하는 경우가 더 많아. 왜냐하면 잠에 잘 드는 날보다는, 잠에 들지 못하는 날이 더 많아서야.”

잠에 들기 전까지 소개를 마칠 수 있을까?

“무슨 소개? 아, 내가 쇼를 한다고 했구나. 그게 진심이라고 생각해? 내가 정말로 나의 삶을 모두에게 보여주는 쇼라고 생각한다고? 정말로 그렇게 보여? 아니, 나는 그냥 농담을 하는 거야. 내가 하는 모든 말들을 그렇게 받아들여줬으면 해. 특히 내가 자살하겠다고 말한다면, 그건 그냥 조금 피곤하다거나 조금 아프다는 뜻일 뿐이야.”

조금만 아파도 자살하고 싶어진다는 말 같네.

”내가 그렇게 나약하진 않아. 허세가 아니라… 왜냐하면… 나는 조금만 아픈 적이 없으니까!”

농담 그만해. 어쨌든, 적어도 씻고 양치질은 하자.

”어떻게 하면 좋을까? 아니 정말 몰라서. 어떻게 씻는게 좋을까? 나는 그동안 비누칠을 하는 게 너무 싫어서 되도록 물로 씻었는데, 가끔 엄마가 그런 나를 혼내고 다시 씻겼어. 샴푸를 쓰는 건 더 싫어. 화학 물질이 내 몸에 닿을 때마다 나는 설명할 수 없는 불쾌감을 느껴. 참 까다롭지? 나같은 거 그냥 죽어버리는 게 낫지 않을까.”

갑자기 왜 우울해지는데. 그럼 양치질은 어떻게 하냐?

"양치질도 그냥 치약 없이 칫솔로 닦고 가글을 많이 하는 걸로 때우고 싶은데. 엄마가 그것만은 절대 안된다면서, 내 입안에 이빨이 썩기라도 하면 폐쇄병동에 넣어버리겠다면서. 무섭네, 그치? 폐쇄병동에 갇히는 상상을 해본 적 있어? 나밖에 없는 방에, 나를 감시하는 카메라에, 매일 명령하는 간호사들, 그리고 무서운 의사, 등등. 나는 엄마가 무서워. 내가 잘못한 게 아닌데 이빨이 썩어버리면, 엄마는 그것도 모르고 날 폐쇄병동에 넣어버리겠지? 아니 그런데 정말 너무 이해가 안 되는 게 화학물질이 이빨에 들어가는게 이빨이 썩는 게 아닌가? 아닌가?"

진정해. 일단 그럼 양치질부터 하자.

"알겠어."

생각보다 잘 하는데?

"어떤 생각보다? 어떤 것보다 잘한다는 건데?"

아니, 그냥 양치질을 잘 한다고.

"그게 무슨 말이야, 웃기잖아. 양치질을 못하는 사람이 어디 있는데. 그리고 나는 잘하는 거 많아. 어릴 때는 수학도 엄청 잘했어. 엄마가 좋아했는데."

씻는 건 정말 물로만 씻을거야?

"네가 정녕 나를 화학물질에 담궈버리고 싶다면 그렇게 해도 되는데, 그러면 우리 관계는 더는 예전같지 않을 걸."

뭐가 어쨌든 물로만 씻는 건 씻는 게 아니야.

"똑같이 말하는구나. 우리 엄마랑 소름 돋을 정도로 똑같이 말하는구나. 정말 소름 돋아. 너는 대체 누구 편이야? 나 잘 참았는데 칭찬 좀 해줘. 아니 그보다 너는 대체 누구야? 너는 대체 누구길래 나한테 이러는 건데? 환청 같은 거면 제발, 약을 먹어버리기 전에 사라져줄래? 아니면 그냥 뛰어내려버린다? 너 사람을 자살시킨 거니 잡혀갈거야 아마."

그럼 약을 먹어. 네가 약을 먹으면 사라져줄게.

"아, 약점 잡혔다! 아하하. 그건 절대 싫어."

이제 됐지? 어서 씻고 와. 물론 비누와 샴푸를 써서.

"알겠어."

우선 물로 간단히 적시고, 몸에 비누로 거품을 내.

"그래, 거품을 내는 거였지… 너는 도움이 많이 되는구나. 정말 싫은데 참아야겠지? 그런거지? 너는 나를 도와줄거지?"

충분히 거품을 낸 다음에 다시 물로 씻어내.

"저기, 내 말을 좀 들어줄래? 지금까지는 잘 대화했잖아, 무시하지 말고…"

머리에도 똑같은 과정을 샴푸를 이용해서 반복해.

"내가 정말 나약하긴 하지만 이건 좀 아닌 것 같아. 내가 왜 네가 하라는 대로 해야 하는 건데. 빨리 끝내면 사라져주는거야? 말도 안 돼 이게 어떻게 씻는거야? 나를 죽이고 있잖아 개새끼야 갑자기 모든게 따갑다 제발 아프다 아 아 안 끝났어 제발 끝내야지 이건 끝내야지"

진정해. 빨리 물로 씻어내서 없애버려.

"아, 그런 방법이 있었네. 물로 다 씻어내면 되는 거구나."

이제 수건으로 닦고 나오면 끝이야.

"그래."

어느새 잘 시간이네.

"그러네. 엄마가 조금 있으면 오실 거야. 이불을 덮고, 눈을 감고, 자세를 적절하게 배치해놓으면 돼. 봐봐, 그냥 일자로 자고 있으면 긴장한 것처럼 보이기 쉬울 거야. 적절히 뒤척인 척을 해야 해."

저 분이 네 엄마구나.

"…"

네 엄마가 들어가 잘 때까지 그렇게 입 다물려고?

"…"

잠에 못 들겠으면, 베란다로 나가서 이야기나 좀 하자.

"…"

어때? 이제 말해도 되잖아.

“좋은 생각이네. 나도 마침 할 말이 많거든.”

새벽 1 시인데도 별은 엄청 밝잖아. 저걸 봐봐.

“옛날 생각이 나네. 아니, 옛날 생각은 아니지만. 옛날에 했던 망상 이야기야. 들어줄 수 있지?”

그래. 뭔들 못 해주겠니.

”그래. 나는 내가 진심으로 바다 위에서 태어났다고 믿었어. 그런데 거기는 등대들이 바다 위에 일정한 규칙을 띈 채로 둥둥 떠 있는 바다였어. 그리고 등대와 등대는 실처럼 가느다란 다리로 이어져 있었지. 등대들은 오로지 바다만을 비추었고, 또 바다만을 비추기 위해 존재했어. 나는 아기였으니 다리를 넘어가려면 가느다란 다리를 잡고 가야 했는데, 그 다리는 그렇게나 작은데도 엄청나게 단단해서 절대 끊어지지 않았어.”

등대 안에는 뭐가 있었는데?

”등대마다 달랐어. 내가 제일 처음 태어난 등대에는 일기장이 있었어. 다른 누가 쓴 일기장도 아니라, 내가 쓴 일기장이 있었던 거야. 그런데 아기가 일기장을 썼을 리 없잖아. 그래서 누군가

장난을 친 것이 틀림없다고 생각해서 다른 등대로 떠나갔어. 첫 번째 이동 후에 도달한 등대는 정말 이상했어. 여러 사람들이 있었는데, 전부 바다 위에 농사를 짓고 있었어. 나는 왜 낚시를 하지 않고 농사를 짓는지 궁금해서 물어봤는데, 낚시대가 없을 뿐만 아니라 낚시를 하면 먹을 수 없는 고기만 낚인대. 그래서 그렇구나 하고, 내가 더 묻고 싶었던 질문을 했어. 혹시 내 일기장을 누가 썼는지 아냐고 물으니까, 나를 본 체도 하지 않고 무시했어. 하지만 나는 아기였으니까 아무것도 할 수가 없었지. 그래서 다음 등대로 떠나갔어."

거기엔 뭐가 있었어?

"두 번째 이동 후에는 조금은 나았어. 거긴 보드게임을 하는 사람이 있었는데, 나는 그 사람과 보드게임을 하기 시작했어. 왜 그랬는지는 몰라. 그냥 보드게임을 했는데, 나는 단 한 번도 이길 수가 없었어. 어쩌면 둘 중 아무도 맞는 규칙을 사용하지 않았던 게 아닐까 싶기도 하지만, 어쨌든 그 사람이 나보다 규칙에 대해 더 잘 알 가능성이 높으니 그렇다 치고 넘어갔어. 그러니까 그 사람이 승자니까 오히려 보상을 받아야 하는 건데도, 그 사람이 나에게 보상을 주더라. 인형이었는데, 호랑이 인형이었어. 그걸 지금까지 가지고 있다고, 나는 생각했던 거야."

호랑이 인형이 소중해?

"아니, 별로 소중하진 않아. 그때는 소중하게 생각했겠지만. 솔직히, 이건 내 생각과는 관계가 없는 거잖아? 아무튼 나는 호랑이 인형을 꼭 간직한 채로 다음 등대로 이동했어. 거기는 유일하게 바다를 비추지 않는 등대였어. 그런데 바다를 비추지 않으면 존재할 이유가 없잖아? 나는 존재할 이유가 없다는 건 슬프다고 생각해서 불을 켜주었어. 그런데 전원을 켜도 불빛이 거의 나가지 않는 거야. 그제서야 나는 이 등대가 고장났다는 사실을 알았어. 감추고 있던 사실을 내가 들추어내고 말아버린 거야. 안타깝게도, 나는 그걸 그때는 알지 못했어. 그래서 몇 번이고 다시 전원을 껐다, 켰다, 반복했지. 그러다가 결국은 지쳐서 다음 등대로 이동했어."

그런데 이 이야기 끝나긴 해?

"아니, 사실 끝이 없어. 왜냐하면 사실 이건 옛날에 했던 망상이 아니라 지금 머릿속에 드는 생각이거든. 아니면 어쩌면 둘 다일수도 있고. 지금 이것도 확신이 안 될 만큼 기억이 뒤죽박죽이야. 이야기 계속할까?"

일단은 계속해봐.

"응, 고마워. 다음 등대에서는 그림을 그리는 사람이 있었어. 그 사람은 나를 보자마자 그림판에 그림을 슥슥 그리더니, 다 된 그림을 나한테 보여주면서, 자기 자신의 초상화라고 자랑하는 거야.

그런데 그 그림은 명백히 내 초상화였어. 나는 처음에는 따지고 들려다가, 결국 그만하기로 했어. 그런 건 문제도 아니니까. 나는 그냥 나도 그림을 그리게 해달라고 했지. 그러니까 정말로 나를 그림판 앞에 앉혀줬어. 나는 거기서 아무렇게나 그림을 그렸고, 그 사람은 나를 엄청 칭찬해줬어. 내 머리를 쓰다듬으면서, 다정하고, 따뜻하게, 잘했다고 이야기해줬지. 그 그림이 무슨 그림이었는지는 잘 모르겠어. 어쩌면 그 사람이 그린 그림의 모작일 뿐이었을지도 모르지. 나는 서로 그림을 교환하고 다음 등대로 향했어."

계속해봐.

"다음 등대에서는 범죄자가 있었어. 사람을 죽인 살인마였지. 그런데 역시 이런 이야기는 그만하는게 좋겠다, 그치?"

계속해봐.

"아… 그 살인마는 내 일기장을 들고 있었어. 어떻게 된 걸까. 모르겠네. 아무튼 그 살인마가 죽인 건 내 아빠였어. 아마도 그랬던 것 같아. 그 살인마가, 뭘 원했던 건지 나는 몰라. 하지만 확실한 건 내가 그리 위험하지 않았다는 거야. 왜냐하면 그 살인마도 어느 정도는 상처를 입은 상태였거든. 나는 바로 신고를 했어. 경찰들이 왔고, 나는 안전하게 살아남았어. 그런데도 그 기억으로 아직까지 힘들어하고 있는 건 좀 너무한 걸까?"

계속해봐.

”그래… 나는 그 후에 정신병 진단을 받았어. 진단명은 나도 몰라. 근데 나도 신경증이랑 정신증의 차이 정도는 알아. 나한테 뭔가 조현병적인 뭔가가 있는 거겠지, 지금 이 대화처럼… 나는 계속해서 아빠의 목소리가 들렸는데, 사실 이제와서는 원래 아빠의 목소리가 어땠는지도 기억이 안 나. 그냥 목소리만 있는 거야, 기괴하게 비틀린 듯한 목소리만 있는 거라고. 그냥 모두 정신병이라고 퉁쳐버리자, 모든 세계가, 모든 것들이 전부 정신병이라고 해버리자, 그게 차라리 편하잖아, 안 그래?”

계속해봐.

”아니, 이제 딱히 이야기할 거리는 없어. 굳이 말하자면 나 지금 너무 힘들다고 징징거리는 말들 정도겠지. 그리고 솔직히 이야기 들어준 거 별로 안 고마워. 이제 나 잘래.”

정말로? 그럼 아빠는?

”아빠한테는 미안하지. 고마웠다고, 네가 전해줄 수 있으면 그렇게 하던가. 이제 너 무시한다.”

그래. 잘 자.

"그래."

결국엔

뜨거운 햇빛, 조명빛, 블루라이트. 나는 이곳에 누워있다. 이 기분 나쁜 빛이 가림막을 뚫고 나의 감은 눈에 내리쬐는 것이 느껴진다. 나는 조금 졸았다. 감기기운이 살짝 감돌면서, 이불이 답답하게 느껴지다가도 따뜻하고, 그래서 자꾸 덮었다 걷었다 반복하고 있다. 졸음을 애써 몰아내려 할 때마다 몸이 움찔거리는 것이 재미있어서, 일부러 이 상태를 유지하고 있다. 졸음에 빠질 때마다 꿈의 이미지가 어렴풋이 보인다. 네 평짜리 방에서 전 세계로 잠시라도 여행을 가고 있는 걸까, 잘 모르겠지만, 아까 그건 분명히 서점이었던 것 같기도 하다. 서점에서 아주 얇은 책들이 엄청 많이 쏟아져 있었는데, 이 위화감을 애써 간파해내고 다시 졸음에서 깨어났다. 뭔가 아까 전까지 하고 있던 생각이 있었는데. 졸고 나니 생각이 완전히 청소가 되어버린 것 같다. 이번에는 눈을 엄청 크게 떠서 졸음에 빠지지 않게 버텨보기로 했다. 그러나 여기서 내 의식은 너무나 느렸다. 내가 눈치조차 채지 못한 때, 어느샌가 눈이 감겨 있었다. 이것을 눈치채자마자 나는 눈을 크게 뜨려고 시도해보았지만, 자꾸 눈이 감기는 것에 저항할 수 없었다. 나는 이 짓을 그만두어야겠다 싶어서 몸을 일으킨다.

하지만 그래봤자 뭘 할까. 나는 옷을 대충 챙겨입고, 그대로 밖으로 나갔다. 집과 집 바깥의 공기는 정말 다르긴 하네. 환기를 안 하는 게 아닌데도, 마치 경계선을 넘어버린 것처럼, 낯선 세상이 훅 밀고 들어온다. 그런데 이 밀고 들어옴의 느낌에서, 나는 또 내가 모든 것들을 쥐고 있다는 느낌 역시 받는다. 말하자면 나에게는 감당할 수 없이 밀려난 곳에서부터 세계를 재건할 수 있을 만큼의 힘이 있고, 이 힘이란 것이 결국 내가 미래를 바라보는 관점이 아닌가 하는 것이다. 내가 집을 나서면, 항상 이런 생각에 빠져서, 정말 기분이 좋아진 채로 거리를 돌아다닐 수가 있는 것이다. 그러나 나는 아직 모두 재건하지는 못했다. 종종 예상치 못한 것들에 당황하게 되고, 나의 일상에 한가득 쌓인 먼지를 치우려다가 되려 망쳐버리는 촌극이 반복되고 있다. 나는 모두의 표면을 통해서 내가 얼마나 모방을 잘못하고 있는지를 깨닫는다. 이건 하나의 색깔놀이고, 카멜레온이 되는 것이다. 그러니 내가 세상 속으로 소멸하기 전까지는 이러한 재건이 가장 중요하다.

맨 처음에 집 밖의 풍경을 보면, 그것은 도저히 사랑할 수 없는 것이다. 나는 나의 집이 나를 타고 흘러가고 있다고 종종 생각하는데, 이 느낌이 마치 준비되지 않은 채 물살에 들어간 어린아이가 된 것만 같은 기분이라는 말이다. 하지만 이 물살을 통해서 비로소 나는 해방된다. 구체적으로 말하자면 집 바깥의 모든 것들로부터 해방된다. 이 해방은 내가 물살의 끝에 가까워질 수록, 사라지거나, 혹은 다시 돌려주어야 하는 채무에 불과한 것으로 된다. 이것은 정말 너무한 것이다. 어찌되었든 나는 집 밖으로 나가는 것을 그리 좋아하지는 않으나, 그럼에도 요즈음에는 자주 밖으로 나간다. 너무 활동적인 것도 마냥 좋은 것은 아니다. 어떤 활동들이든 간에, 이전에 하지 않던 것들을 갑자기 하는 것은 건강에 그리 좋지 않다. 스스로 자제를 하고 있지만, 들뜨는 것은 즐기는 편이다.

어디로 갈 지를 정하지 않았지만, 마치 걷는 목적이 뚜렷한 사람처럼 당당하게 길을 걷는다. 달리 방법도 없다. 능숙한 척을 하는 것도, 미숙한 척을 하는 것도 내게는 모두 힘들다. 그래도 당당할 수는 있으니까 그렇게 할 뿐이다. 내 걸음걸이를 스스로 바라보다보면, 이것이 나의 한 부분이 아니고 나를 구성하는 기계에 불과할 수도 있다는 생각이 든다. 그것은 딱히 끔찍한 생각은 아니지만, 별로 좋은 생각도 아니다. 아이디어의 측면에서 별로 새로울 게 없는 무언가보다는, 나를 자극해줄 만한 생각이 필요하다. 지금 나는 리듬을 따라서 작위적인 걸음걸이를 선보이고 있다. 마치 인형이 된 것만 같은데, 사실은 이러는 편이 오히려 나를 인간답게 만들어준다. 인형같은 걸음걸이와, 그것을 행위한다는 것은 구분이 되는데, 어쩌면 이 짓거리도 너무 오래 하면 그런 생각마저 바뀔 지도 모르겠다는 느낌도 없지는 않다. 나는 그 대상이 무엇이든 계속 카드를 바꿔 내야 한다. 한 가지 카드만 계속 내면 기계나 다를 바 없다. 법칙성이 너무 짙으면 인공지능이나 다를 바 없다. 그러나 그 카드 놀이에는 승리 외에 별다른 목적이 없다. 그럴 때는 항상 기계들이 유리해진다.

계속해서 이런저런 방식으로 걷다 보니, 점점 재미가 붙는다. 그렇지만 이제는 좀 쉬고 싶어서, 아무런 카페나 골라 들어갔다. 나는 커피를 혐오하기 때문에, 카페에 가면 반드시 에이드만 시킨다. 이런 혐오에는 물론 별다른 이유가 없고, 단순한 기호의 차이일 뿐이다. 나는 레모네이드를 특히 좋아해서 레모네이드를 시킨 뒤 자리를 잡았다. 만약에 내가 레모네이드의 맛보다는 향을 좋아하는 거였다 해도, 혹은 그 반대였다 해도, 나는 레몬보다는 레모네이드가 훨씬 더 좋다. 그 달콤함이 꼭 좋기만 한 것은 아니지만, 달콤한 음식에는 달콤한 향도 나는 법이라, 레몬보다는 레모네이드가 나를 조금 더 끌어당긴다. 나는 음료를 휘휘 젓고 나서 천천히 빨아들였다.

카페에 사람들이 별로 없을 뿐만 아니라, 대화도 많이 오가지 않아서, 조용하고 편안하다. 그렇지만 이런 공간에 안주하고 있기는 곤란하니까, 나는 음료를 전부 들이켜버리고 바깥으로 다시 나왔다. 뭔가를 하고 싶다고, 생각은 드는데, 내 센스가 그에 따라 움직여주질 않는다. 이럴 때에는 오히려 운이 필요한 것일지도 모르지.

나는 은행에 들어갔다. 사람들이 적당히 북적거리는 와중에, 나는 ATM 기에서 만 원짜리 지폐 세 장을 뽑고 나왔다. 이 세 장은 오늘 안에 사용하기로 한 것이다. 일단은 스스로에게 최소한의 제약을 둔 것이고, 이 이상도 이하도 사용하지 않도록 계약을 한 것이다. 왜냐하면 나에겐 지금 돈을 사용할 곳이 필요하기 때문이다. 돈을 사용한다는 그런 행위 자체가 지금 나에게 필요하다. 이것은 단순히 들뜨는 것을 적당히 조절하기 위해서다. 그러니까: 나는 지금 굉장히 기분이 좋고, 여기에는 이유가 없으므로, 이것을 조절할 필요가 있는데, 삼만 원이 여기서 가장 적절한 비용이 되어줄 것이다.

제일 처음 눈에 띄는 것은 역시나 식당들이다. 그런데 솔직히, 나는 배가 안 고프다. 솔직히 아무리 부차적인 이유가 많아도, 사람은 결국 배가 고파서 밥을 먹는 것이다. 배가 부른데 밥을 먹는 사람은 거의 존재하지 않을 테다. 그 다음으로는 역시나 카페 혹은 비슷한 무언가들인데, 이것은 방금 갔다 왔으니 기각이다.

나는 살펴보기를 그만두고 무작정 걷기 시작했다. 이 주변 거리에서 나가면 공원이 나오고, 공원에서 벗어나면 강변이 나오는데, 그 강변을 건너면 또 다른 거리가 나온다. 이것이 여러 번 반복된다, 아마도. 그래서 이 반복을 내가 직접 보겠다는 것이다. 그러다보면 뭔가 하나쯤은 나오겠지, 하고 맡겨놓는 심리도 없지는 않지만, 중요한 것은 역시 에너지를 소비하는 것이다. 돈 정도는 사용하지 않아도 상관없다.

그렇지만 나는 공원에는 별 관심이 없다. 자연공간이 존재하는 것 자체는 긍정적으로 생각하지만, 역시 자연공간 자체를 내가 좋아하지는 않는다. 애초에 세상에 순수한 자연같은 개념이 존재할 리 없고, 단지 인간이 자연과는 너무나 구별되는 무언가를 만들어왔을 뿐이다. 정신적 실천이라고 말해도 되려나, 이걸 굳이 노동이라고 말하지 않으면 화를 내는 극소수의 사람들도 있다고 한다. 도대체 왜일까, 나는 잘 모르겠다. 만약 자연공간이라는 것을 조성하는 것이, 원래 존재하던 자연공간을 그대로 두는 것이든, 아니면 자연공간이 아니었던 것을 다시 되돌려놓은 것이든, 사실 딱히 상관없다. 이건 농사가 아니잖아, 그저 사람들에게 순간적인 만족을 주는 것으로 족하고, 그 만족말고는 아무것도 남지 않은 사람들이 모이는 공간을 마련하는 것으로도 족하다.

어쨌든 나는 공원을 지나쳐서 강변을 건너 새로운 거리로 이동했다. 강변을 건너는 중에 돌다리의 간격이 꽤나 넓어서 놀라기도 했다. 어릴 적에는 모든 다리가 돌다리처럼 되어 있었으면 좋겠다고 생각했더랬다. 아무라 높이가 높아도, 돌의 역할을 대체할 만한 기둥을 촘촘하게 세우면 그것도 다리라고 할 수 있지 않을까, 하는 망상이었다. 자동차는 이런 다리를 건널 수 없을텐데, 인간은 건널 수 있을 지도 모르니까, 인간이 이긴 거네, 같은 생각까지 도달했던 것이 기억났다. 그렇지만 다리는 결국 안전을 위한 것이다.

그리고 지금 이 거리를 쭉 걸어가면 그 구역이 번화가인데, 사실 그쪽은 오히려 너무 많이 가보았고, 딱히 변화가 빠른 구역도 아니라 관심이 없다. 그래서 길을 살짝 바꾸기로 했다. 보통 버스 노선으로는 간단하게 거리가 번화가로 이어지는 그대로 가는데, 실제로는 그 사이에 주택가가 끼어있다. 주택가에도 상점들이 있지만 사실 큰 의미는 없다. 이 주택가를 따라 어느 쪽으로 가도, 결국은 거리에 둘러싸여 있기 때문에 번화가가 아니면 강변 쪽으로 연결될 수밖에 없긴 하지만, 나는 그런 사실을 애써 잊으려 노력하며, 제 3 의 길을 찾기 시작했다.

그리고 수많은 걸음을 통해, 역시 그런 믿음은 좌절되었다. 결국 번화가쪽으로 도착한 것이다. 나는 이왕 이렇게 된 거, 번화가를 완전히 통과해서 미개발구역으로 가버릴 작정을 했다. 그래서 주변의 어떤 것도 내 눈에 뵈지 않았다. 걸어가는 동안 많은 사람들이 있었으나, 결국 정말로 미개발구역에 도착하니 급격하게 사람이 줄어들었다.

이쪽에 대해서는 정말 아는 게 없긴 하지만, 확실한 건 여기는 사람이 다니지 않는 거리라는 사실이다. 나는 이 거리를 계속 걸었다. 걷다 보니 하나 정도 운영하는 카페가 있긴 했는데, 너무 작아서 들어가기가 불편해 보였다. 그래서 그냥 계속 나아갔다.

나아가니 결국에는 고속도로 사거리를 만나게 되었다. 여기서는 정말로 더 나아갈 수가 없겠다고 생각하면서도, 아직 인도가 있는 쪽으로 걸었으나 역시 얼마 지나지 않아 끊겼다. 나는 그 자리에서 좌절했다. 나는 정말 끝까지 가려고 했는데, 여기서 더 간다 해봐야 도로를 통행하는 것이고, 그랬다가는 내 생명이 위험할 테니까, 결국 벽처럼 막혀버린 것이나 다름없다. 나는 한참을 제자리에 앉아서 생각했다. 어떻게 할까? 어떻게 하는 편이 좋을까?

나는 자존심상, 다시 돌아간다는 선택지를 도저히 고르고 싶지 않았다. 아직 충분하지 않은데, 아직 새벽이 되지도 않았고, 결국 내가 극복해낸 것이 아무것도 없지 않은가. 하지만 슬슬 추위가 엄습해온다. 나는 결국 다시 돌아가기로 한다. 다만 똑같은 길로 돌아가지는 않을 것이다. 미개발구역에서 길을 돌아서 공원 쪽으로 갈 것이다. 결국 공원에 들어서게 되는 것인데, 이쪽의 경우는 사람이 거의 드나들지 않는 공원이어서, 차라리 사정이 낫다. 나는 공원 따위를 드나드는 사람들은 다 시시한 사람들이라고 생각한다. 이 경우 나이나 성별은 별 관련이 없을 테다. 물론 나의 인식에 있어서 그렇다는 이야기라, 내가 드나드는 것은 나를 시시한 존재로 만들지 않는다.

슬슬 어두워진 참에 공원에 들어서니 꽤나 좋은 분위기가 연출되고 있다. 나는 이런 분위기를 한 번도 본 적이 없다. 그러니까 어두컴컴한 자연 속에 둘러싸여본 적이 없다. 별로 무섭지는 않지만, 무서워해야 할 것 같은 느낌은 든다. 그러니까 연기를 해야 할 것 같은 느낌이 든다. 일부러 몸을 움츠리고 지나갈 수도 있겠고, 우는 척을 할 수도 있겠지만, 굳이 그러진 않았다.

원래 이런 건 아주 디테일한 부분이 문제가 되는데, 눈동자의 흔들림 같은 것이 그 예시다. 몸을 가끔씩 아주 살짝 떨어주는 것도 좋다. 그런 디테일만이 연기에 현실성을 부여한다.

그런데 공원을 지나가니 결국 아까 내가 지나온 번화가가 다시 나와서, 이번에는 번화가 거리를 그대로 따라서 돌아가기로 했다. 시간이 늦어서 그런지 사람도 별로 없고, 번화가에서 조금 벗어난 거리에도 문을 연 가게는 없다. 이런 때에도 자동차들만은 끊임없이 달리는 것을 보면, 기분이 묘하다. 정말 자동차가 살아있는 무언가였다면, 세상이 훨씬 더 작고 편협한 무언가로 보일까? 혹은 별 차이가 없을까? 이 부분은 모르겠지만, 사실 자동차의 세계가 오히려 인간의 세계보다 넓다는 것은 어쩔 수 없는 사실이다. 도로는 아무리 편협하다 해도 결국 그 모든 것을 연결해주는데, 인간에게는 주어진 길이 존재하지도 않는다. 그런데 결국 자동차도 인간이 운전하는 것이다. 결국 인식된 만큼의 세상이 우리의 의도와 맞아떨어진다면, 그게 바로 세상인 것이다.

그런 생각을 하며 돌아가고 있는데, 문득 내가 예전에 거주하던 지역이 지금은 어떻게 되었는지가 궁금해져서 그리로 가보기로 했다. 방향만 조금 틀면 바로 그리로 갈 수가 있다. 솔직히 끝까지 가보지 않아도, 건물들만큼은 아무것도 바뀐 게 없음을 쉽게 알 수 있었다. 실제로 가보니, 내가 다니던 초등학교는 여전했고, 그 앞의 가게들도 전부 그대로였다. 생각해보면 그럴 만하다. 도대체가 무엇이 들어서겠는가? 그만큼 이 지역은 닫혀있을 뿐만 아니라 경제적 효과도 별로 좋지 못하다. 꽤나 많이 둘러보았으나 별 감흥은 느끼지 못했다. 다만 내가 성인이 될 때까지 아주 많은 시간이 흘렀음에도 여전히 똑같이 돌아가는가 그 여부만큼은 내가 알 수 없는 것이었다. 이런 측면에서만큼은, 건물은 부차적인 것이다.

이쪽 지역에 또 다른 번화가가 있는데, 다만 중심 번화가는 아닌 곳이다. 말하자면 술의 거리라고 할 수 있을 테다. 이 곳을 거쳐서 나타나는 공원과 그 거리로 가기만 하면, 내가 원래 살던 지역이 나타난다. 그리로 갈 때까지 정말 놀라운 것은, 도대체 지나가는 행인 하나가 없었다는 사실이었다. 이런 것은 번화가라고 할 수가 없다. 그렇다고 폐허라고 해버리는 것은 좀 아닌 것이겠지만, 어찌되었든 번화가는 아니다. 그렇다면 이것을 뭐라 해야 할까. 번화가였던 거리? 아니면 밤이 되면 조용해지는 번화가? 모르겠다. 후자는 너무 섬뜩하게 해석될 수가 있을 것 같은데. 암살자라도 나타난다는 소리인가. 나는 웃었다.

나는 내가 살던 지역의 공원 앞으로 도착했다. 그러나 공원을 통하지는 않았고, 그 주변에 있는 인도를 통했다. 차 다니는 소리가 쌩쌩 난다는 점만 빼면 이 편이 낫다. 나는 공원을 멀찍이 바라보다가, 이내 돌아섰다. 차 다니는 소리 정도는 괜찮다. 매일같이 듣는 소리 아닌가. 그래, 인간들이 다니면서 내는 말소리 같은 것보다는 훨씬 낫다. 자동차는 간혹 노래를 틀어대는 경우를 제외하면, 적어도 말하지는 않는다. 바퀴를 튜닝한 경우에도 소리가 아주 거슬리는 것은 아니다. 그러나 솔직히, 사람의 말소리는 아주 거슬리고 또한 짜증난다. 나는 다른 사람들이 나에게 말을 걸면 아주 스트레스를 받는데, 그게 내가 아는 사람이든 모르는 사람이든 별 상관이 없다. 전화는 물론이요 문자도 답장하지 않는다. 나는 너희들에게 전혀 관심이 없다고, 그렇게 굳이 말을 해주고 싶지만, 알아듣지도 못하겠지.

내가 거리를 걸어 간 후, 마침내 집에 도착했다. 나는 집에 들어가 옷을 대충 바구니에 던져 넣고 그대로 누웠다. 너무나 오랜 시간 걸었다. 그제서야 전화기를 확인한 나는, 내가 10 시간 동안 걸었다는 사실을 확인했다. 알고는 있지만, 조금은 놀랐다. 10 시간이라니.

그리고 아직도 기분이 가라앉지 않은 걸 보면, 내 계획은 아마도 실패한 것 같다. 아직도 심장이 뛰고, 몸이 떨린다. 들뜨는 기분이 사라지지 않았다. 혹은 오히려 이 모든 것들이 나의 기분이 시키는 대로 따른 것뿐이었던가? 나는 너무 안일하게 생각하고 있었구나. 나는 내 기분에 대한 인식에만 집중하고, 내 인식이 대한 기분은 생각하지 않았다. 그래, 지금 잠에 들 수 있을 지는 모르겠지만, 오늘은 모든 것이 실패했다.

결국엔 이렇게 될 수밖에 없었던 것인지, 아니면 결국엔 내가 저렇게 해야 하는 것인지, 그건 모르겠다. 하지만 어느 쪽이든 나에게는 그 자체가 이념이다. 구체적으로 말하자면: 결국 지금까지의 모든 것들이 정해진 것인지, 아니면 인식에는 아직도 내가 넘지 못한 벽이 있는 것인지를 모르겠다. 이 두 가지가 다른 문제가 아니라는 것 정도는 안다. 이 모든 것들이 절대 미래를 말하고 있는 것이 아니라 해도: 나는 여전히 그 미래를 위해서 현재를 살아가는데. 이 현재라는 것은 결국 나의 과거로부터 빼앗긴 나의 미래다. 그러니까.

나는 천장을 바라보며, 내 마음을 깊이 느끼려 노력해보았지만, 잘 되지 않았다. 내가 고도를 기다리는 자들과 본질적으로 다르지 않다고 말하지 말았으면 한다고, 나는 중얼거린다. 그러면서 나는 잠에 들기 시작한다. 나는 이 졸음에 굳이 저항하지 않았다.

저 너머

1

사람들 말에 의하면 신의 기적을 보여줄 수 있는 유리관이 있었다고들 하는데, 이 유리관은 그것의 위에 거룩한 빛을 비추면 선명한 무지개의 형상이 나타나도록 만들어졌었다. 이 유리관을 크림색 종이에 감싸고 다니며 소수에게만 이것을 보여주는 신도가 있었는데, 이 자가 한 번은 무대 위에 서게 되었다. 그 신도는 사람들에게 이것을 보여줌으로써 자신이 마술사가 아니라 신의 사도임을 변호했다. 그러자 사람들은 유리관을 만지기 위해 무대 위로 달려들었고, 유리관을 만지자 그것의 표면이 깨지고 속에 들어있었던 무지개 인형이 드러났다. 신도는 이것에 대해 억울함을 표하며 다음과 같이 말했다.

“여러분은 사물을 사물으로서 존중하지 않고 무대 위에 난입하여 신의 거룩한 기적을 완전히 망쳤습니다. 이것으로서 기적은 힘을 잃고 인형으로 변화하고 말았습니다! 그러나 사물은 관조하지 않으면 의미가 없는 것입니다. 여러분이 흥분을 가라앉히고 유리관을 올바로 보았다면 우리는 고작 인형이 아니라 거룩한 형상을, 무지개를 보았을 것이란 말입니다. 이제 우리와 신을 연결해주는 실이 하나 끊긴 것입니다. 도대체 왜 그러셨나요? 왜 우리의 의미를 이런 식으로 파괴하나요?“

사람들은 숙연해진 채로 신도에게 사과를 표했고, 사람들은 무대를 떠나 마침내 신도 한 명밖에 남지 않게 되었다. 그리고 그는 인형 위에 새로운 유리관을 끼워넣고 그것을 종이에 싼 채 마지막으로 자리를 떠난 것이었다.

2

나는 악마의 만능열쇠와 천사의 열쇠가 나란히 잇대어진 둥근 고리를 쥐었다. 악마의 열쇠로는 모든 것을 열 수 있지만, 천사의 열쇠로는 단 하나의 문밖에 열 수 없다. 나의 주변에는 한 아이가 있었다. 분명히 그 아이는 자신의 집으로 들어가고자 했을 것이다. 그러나 그 아이의 집은 천사의 열쇠로는 열리지 않았다. 나는 그 아이가 다른 방법으로 집에 들어갈 수 없는지 살펴보았다. 그러나 집의 모든 출입구에 잠금쇠가 채워져 있었기에, 나는 결국 열쇠를 사용해야 한다는 것을 알았다. 나는 결국 악마의 만능열쇠를 사용해 아이를 집으로 데려다주었다.

나는 이제 나의 집을 찾았고, 이 역시 천사의 열쇠로는 열리지 않았다. 나는 화가 나서 천사의 열쇠로 열리는 문을 미친 듯이 찾아다녔다. 하지만 어떤 건물도, 심지어 교회도 천사의 열쇠로는 열리지 않았다. 나는 열쇠고리를, 그리고 열쇠들의 생김새를 유심히 바라보았으나, 역시 허사였다. 결국 나는 천사의 열쇠를 열 수 있는 문을 하나도 찾지 못했다.

그러다가 나는 문득 생각했다. 이 두 가지 열쇠가 같은 둥근 고리에 걸려 있는 이유는 무엇인가. 어쩌면 천사의 열쇠는 악마의 만능열쇠를 사용하지 못하도록 하는 데에 그 의의가 있었던 것인가? 나는 결국 열쇠를 사용하기를 포기했다. 둥근 고리를 던져버리고 문을 두드리는 방식을 선택했다. 물론 이런 방식으로 나의 집을 열 수는 없었다.

3

예전에는 자신의 나이를 남아있는 나날들로 세던 한 남자가 있었다. 그에게 나이는 처음부터 62 세였으니, 그는 그의 나이가 정확히 0 세일 때 자살했다. 그것은 그의 가문에서 정해진 규율이었다고 했다. 그들의 규율은 아직도 철저히 지켜지고 있는데, 그들 가문의 모든 일원들은 62 세부터 시작해야만 한다. 이것을 그들은 역셈법적 나이라고 이야기한다. 그래서 정확히 0 세일 때 죽지 않은 자는 가문의 족보에서 무시된다.

그들 가문은 인간의 가문에는 정신이 깃들어 있으며, 이 정신만이 운명을 결정할 수 있다고 굳게 믿고 있었는데, 그들이 나이를 역으로 세는 데는 운명을 뒤집어 인간의 것으로 만들기 위함이라고 했다. 나는 이것을 이해하지 못했으나, 적어도 역셈법적 나이라는 것이 그들에게 꼭 필요한 것이었다는 사실은 이해가 되었다.

4

자살하기 위해 소설을 쓰던 사람이 있었다. 그의 소설에는 항상 자기 자신이 주인공이었으며, 결말은 항상 주인공의 자살과 시체 처리 업체의 등장이었다. 항상 똑같은 형식으로 지엽적인 내용만 바꾸었고, 그렇기 때문에 그의 소설은 이른바 자살 소설이라고 불렸다. 언젠가, 그는 소설 속에서 여러 차례 자살한 바 있는 또 다른 자기 자신에게 감사를 표하며, 덕분에 현실의 자기 자신이 자살하지 않을 수 있었다고 이야기했다. 그중에는 이러한 이야기도 있었다. 한 달 동안 정말 행복한 여행을 떠난 다음 웃으며 자신의 목을 매달았다는 이야기다. 그 소설은 그의 모든 소설 중에서 가장 유명했고 인터넷에서 잘 알려지게 되었다. 그다음으로 유명한 이야기로는 자살을 무려 다섯 번이나 실패하고도 기어이 여섯 번째 성공을 거두는 이야기로서, 주변인들의 만류와 응원에도 절대 굴하지 않는 모습이 '부조리하다'라는 인상을 주는 것 같았다. 참고로 그 작가는 자살기도 경험자들과의 인터뷰를 통해서 많은 내용을 얻었다고 진술한 바 있다. 나도 그 작가와 인터뷰를 진행한

적이 있었다. 사실 그 인터뷰를 통해서 나는 그 작가의 팬을 자처하기 시작했다.

그 작가가 나에게 '자살에 실패한 가장 주된 이유'를 물었을 때, 나는 다음과 같이 답했다: 애초에 저는 죽고 싶어서 자살을 시도한 건 아니었습니다. 오히려 무언가가 저에게 자살을 시키고 있다는 생각에 사로잡혔던 거예요. 그러나 정신을 차리고 보니 줄은 끊겨 있었고, 그 모든 것들이 허상일 뿐이었음을 깨닫게 되었죠.

그러나 물론 나는 운명론자가 아니었다.

5

파아오프행성은 스스로 자라나는 행성이었다. 어린 왕자는 그 행성이 죽지 않도록 돌봐주었다. 행성은 단 하나의 바오밥나무를 두고 있었고, 그 나무가 자라는 속도보다 행성이 자라는 속도가 더 빨랐다. 행성의 모양새로 치면, 바오밥나무의 줄기와 잎이 행성의 크기와 맞먹어서, 두 개의 행성을 두고 하나의 다리가 놓여 있는 것과도 같았다. 어린 왕자는 나무와 함께 놀았다.

어느샌가 행성과 나무는 지구에서도 보일 만큼 커졌다. 지구 사람들은 파아오프행성을 두고 쌍둥이 행성이라 불렀다. 어느 날

한 지구인이 어린 왕자의 행성에 와서 말했다. 쌍둥이 행성은 곧 다른 행성과 부딪히게 될 겁니다. 언제 부딪힐지는 모르나, 행성이 더욱 커지게 되면, 다른 행성과 부딪히게 된다는 것만큼은 확실합니다. 그렇게 되면 그 충격으로 바오밥나무는 행성에서 분리될 것이고, 바오밥나무는 우주를 떠돌아다니다가 연쇄적인 충돌 사고를 일으키고야 말 겁니다. 그 영향이 우리가 사는 지구에까지 오게 된다면, 분명 수백만 명은 우습게 죽어나갈지도 모릅니다. 지금이라도 이 행성을 죽여야 합니다. 어린 왕자는 울었다. 이 행성은 저로 인해서 살아가고 있어요. 제가 죽어야 이 행성이 죽을 수 있어요.

어린 왕자는 영원한 잠에 빠져들었고, 행성은 성장을 멈췄다.

6

아주 옛날에는, 신이 외로움을 견디지 못하고 자신의 열렬한 숭배자를 만들었다는 이야기도 있다. 숭배자는 신을 반대하는 모든 것을 파괴했으며, 그것은 신의 정신에 좋지 않은 영향을 미쳤다. 신은 그럼에도 자신의 숭배자를 사랑하지 않을 수 없었다. 광신도들의 숫자는 빠르게 늘었으며, 이것은 신의 외로움을 덜어주기는커녕 오히려 더 증폭시켰다. 신은 어느 날 광신도들의 삶을 자세히 관찰하면서, 놀라운 사실을 깨닫게 된다. 신이 보기에 그들 중 다수는, 외로움을 거의 잊은 것처럼 보였다. 자신에게 신이 함께한다는 사실을 깊이 체득한 자들은 외로움에서 거의 빠져나올 수 있었던 반면에, 정작 신 자신은 자신을 숭배하는 자들이 함께한다는 사실에도 불구하고 외로움을 떨쳐낼 수 없었던 것이다. 이 관계는 분명히 잘못된 것처럼 보였다.

어느 날, 신은 결함 있는 인간의 몸으로 인간들의 세계에 내려와, 자신이 최초로 만들었던 숭배자에게 접근했다. 숭배자와 함께, 신은 자기 자신을 향해 기도했다. 숭배자는 신을 반대하는 것들을 파괴하기를 멈추지 않았으며, 그것은 신을 마음 아프게 했다. 신의 외로움은, 숭배자와 함께 있을수록 더욱 커져만 갔다. 신은, 숭배자를 죽여야 하는지에 대해서 고민했다. 하지만 따지고 보면 그 모든 것은 자신의 잘못이었다. 지신이 누군가를 단죄할 수조차 없다는 사실을 깨달은 신은, 더 이상 신이기를 포기했다. 결함 있는 인간으로서 살아가기로 했다. 숭배자와 함께, 신은 허공을 향해 기도했다. 그러자, 더 이상 신이 아닌 것의 외로움은 천천히, 그러나 확실히 줄어갔다. 인간과 동등한 입장에서 살아가면서, 더 이상 신이 아닌 것은 행복했다.

광신도들의 사회는 마침내 전 세계로 확장되었으나, 그들이 숭배하던 신은 이제 존재하지 않았다.

7

'당신의 죽음을 목격해드립니다.' 이것은 분명히 어떤 종류의 광고였다. 그의 목적은 누군가의 죽음을 좀 더 행복하게 만들어주는 것이라고 했다. 그는 어떤 법적인 이유 때문에 자살을 '목격'하지는 못하리라고 적어두었다만, 그럼에도 나는 그를 찾아갔다. 그는 내가 말하기도 전에, 내가 자살을 시도할 것이라는 점을 꿰뚫어보았다. 저는 사람의 죽음을 너무나 많이 보아왔기 때문에 누가 죽을 사람이고 누가 죽지 않을 사람인지 명확하게 구별이 됩니다. 그쪽의 자살이 성공할 지 실패할 지는 모르지만, 저로서는 실패하기를 바랄 수밖에 없네요. 더불어 저는 관조할 수밖에 없는 입장이 확실할 때에만 관조합니다. 제가 막을 수 있는 일은, 막아야 합니다. 그럼에도, 자살은 누군가가 막는다고 막을 수 있는 것은 아니죠. 정말로 죽고자 하는 사람은 몇 번이고 그것을 시도할 테니까요. 당신이 그런 사람인지는 저는 모릅니다. 당신은 자신이 그런 사람이라고 생각하시나요?

나는 아닐 거라고 대답했다.

8

어떤 미친 의사가 집행한 실험 중에, 아이의 하반신을 잘라 놓고, 그 아이가 성인이 되었을 때 인공 다리를 달아 주면, 어떤 방식으로 걸음걸이를 습득하는지에 대한 것이 있었다. 실험체가 되어 버린 것은 한 명이 아니라 남녀 한 쌍이었다. 그러나 여기서 한 쪽 실험체가 성인이 되기 전 죽어버렸기 때문에, 의사는 죽은 실험체가 남성인지 여성인지를 파악하려 했다. 그리고 번호상 여성 실험체가 죽었음이 확실했음에도 불구하고, 남성 실험체는 죽어버린 나머지 한 짝과 거의 구분할 수 없었다. 그래서 의사는 남성 실험체 하나로 양쪽 성별 모두의 표본을 수집한다는 식으로 실험 내용을 바꾸었다.

성인이 된 실험체에게 의사는 인공 다리와 인공 생식기를 달아주었다. 의사는 철저하게 만들어진 커리큘럼으로 실험체에게 걷는 방법을 가르쳤고, 실험체는 이것을 완수하여 걷는 방법을 터득했다. 그런데 문제는, 실험체가 걷는 방식에서만큼은 아무리 교정을 하려 해도 너무나 눈에 띄는 것이었다. 의사는 흥미로워하며 실험체를 계속해서 가둬두었다.

실험체는 점점 나이가 들었고, 의사의 명령에 따라 인공 생식기를 새로운 실험체에게 강제로 삽입하는 방식으로 임신을 시켰다.

실험체는 자신이 강간을 했다는 죄책감에 빠져, 자신의 인공 다리와 인공 생식기를 부숴버렸다. 그리고 얼마 지나지 않아 실험체는 사망했다. 한편 새로운 실험체인 여성은 충격으로 유산을 했고, 의사는 이 모든 과정을 실험으로서 기록했다. 이 기록에는 물론 아무 의미가 없었다.

9

죽음을 보기 위해서 사람을 죽이던 학살자가 있었다. 그는 인간의 죽음을 정말 유심히 관찰하면, 그 순간을 과학적으로 탐구하면, 죽음을 알 수 있을 거라고 생각했다. 그래서 그는 처음에는 시민들을 죽였고, 그 다음에는 노인들을 죽였고, 그 다음에는 아이들을 죽였다. 그러나 그는 역시 죽음이 무엇인지 알지 못했다. 그가 죽음에 대해 알고 싶은 것은 많았으나, 그가 알게 된 사실은 겨우 인간이 어떻게 해야 죽는지에 관한 것들뿐이었다.

학살자는 산 속에 숨어서 철학자가 되었다. 이러이러한 방법으로 사람을 찌르면 사람이 죽도로 만들어진 이유는 무엇인가, 인간이 고통을 느끼는 것은 살기 위해서인데 죽음을 통해서까지 고통을 느껴야 하는 이유는 무엇인가, 죽음 자체는 대체 왜 존재하고 그것이 왜 삶에 동반되어야 하는가, 이러한 것들을 탐구했다. 그러나 그는 아무런 답도 얻지 못했다.

철학자가 된 학살자는 마침내 산을 내려와 스스로 자수를 했다. 그는 처형되기 직전까지도 죽음을 알지 못했고, 처형되는 순간에는 그저 고통밖에는 느끼지 못했다.

10

'내가 죽게 되리란 걸 믿기는 어렵다. 왜냐하면 나는 차가운 신선함 속에서 보글거리고 있으니까. 매 순간이 있기에 내 삶은 아주 길 것이다. 나는 태어나기 직전인데 태어날 수는 없는 상태인 듯한 느낌 속에 있다.' - 아구아 비바, 클라리시 리스펙토르

...그리고 나는 나의 무덤에 보낼 선물을 가지고 있지 않다. 그럼에도 나는 나의 무덤에 초대받았고, 그래서 이제는 별로 중요한 일이 아니다. 적어도 나는 그렇게 생각했다.

11

누군가 내 곁에 서 있다. 누구인지는 모르겠다. 그리고 내가 언제부터 난간에 걸터앉았는지도 모르겠다. 왜 나의 현재를 현재에 남겨두는 건지. 바람이 조금 차갑다. 바람이 나에게만 유독 차갑다는 사실을 몰랐다. 아마 당신이 아니었다면 끝까지 몰랐을 거야. 나를 도와주고 싶은 걸까? 그게 어떤 의미에서든 좋아. 하지만 지금 나는 너무 지루해. 그리고 당신이 나를 놓아주지 않을 거라는 점도 잘 알아요.

당신은 어떤 사람일까요. 저는 솔직히 말해서 당신이 좋은 사람이기를 기대하지 않습니다. 애초에 당신이 누구인지도 모르고, 당신이 굳이 자신을 소개하신다면 알고자 하는 마음은 있지만, 아마 그러지 않으시리라고 생각합니다. 그리고 당신이 이왕 오셨으니, 저는 하고픈 말을 하고 싶습니다. 저는 불행하지 않아요. 세상 사람들에게 맞대놓고 말하건대, 저는 불행하지 않고 오히려 행복합니다. 애초에 불행해야 할 이유가 뭐가 있을까요? 제가 가진 불행과 고통에 대해서는 이야기하고 싶지도 않습니다. 이야기할 거리가 없어요. 대신에 저는 아름다움에 대해 이야기하고 싶습니다. 낭만적으로 사랑에 빠진다는 것은 얼마나 아름다운가요? 사랑한다는 것은 자기를 포기하는 것입니다. 역으로 자기를 가장 기꺼이 포기할 수 있다면 그것보다 사랑스러운 일도 없겠죠.

그러니까, 제 말은, 사랑을 막을 수 있는 사람은 아무도 없다는 겁니다. 사랑은 맹목적이어야 하니까요. 나는 잠시 침묵했다.

그렇지만, 사랑은 과연 제 것일까요? 저는 어쩌면 무언가를 잃어버렸을지도 몰라요. 그리고 그게 대체 무엇인지도 몰라요. 제가 아는 것은 저 자신의 감정뿐이고, 제가 무엇에 이토록 홀린 건지도 설명할 수 없어요. 하지만 들어보세요, 저는 저 자신의 사랑을 위해 모든 준비를 마쳤습니다. 확신할 수는 없겠지만요. 솔직히 세상이라는 건 너무 간단해요. 그 사실을 여태껏 모르고 있었어요. 당신은 어쩌면 제 미련을 상징하기 위해 이곳으로 왔을 지도 몰라요. 당신에게 꼭 맞는 가면을 씌워주고 싶을 정도에요. 그러니 당신은 웃어서는 안 돼요. 당신은 울고, 제가 웃어야 해요. 우리의 눈빛을 보세요. 살아있는 사람처럼 보이나요? 우리는 어떤 생산적인 대화도 이끌어내지 못해요. 그리고 잠시 침묵.

그래도 누군가 있어준다는 사실이 기뻐요. 제가 소원을 빌 때, 무슨 소원을 빌었는지 아세요? 아름다운 그림이 되게 해달라고 빌었어요. 그림이 되려면 화가가 필요하잖아요? 당신은 이제부터 화가에요. 그러나 그림은 나중에 그릴 거에요. 지금은 저를 보고만 있어도 괜찮아요. 그리고 그림이 되지 않아도 괜찮아요. 어차피 소원은 불가능한 것을 말하기 위한 개념이 아닐까요?

당신은 아무런 말도 하지 않았다. 나는 투명한 밤하늘을 향해 손을 뻗었다. 나는 당신을 향해 웃어보였다. 내 웃음이 당신을 방해하지 않았으면 좋겠어. 나는 교활한 웃음과 순수한 웃음을 동시에 가지고 있으니까. 나도 그걸 알아요. 당신이 나로부터 조금씩 멀어질 때, 나는 당신을 부르지 않았어. 당신은 당신의 색채를 발견하겠지.

난간조차 설치되어 있지 않은 옥상에서, 나는 거센 바람을 맞이한다. 나는 바람에 몸을 맡긴다.

12

공중에서, 잠깐 잠이 들었던 것 같다. 깨어나 보니 여전히 나는 떨어지고 있다. 꿈 속에서 나는 세계를 파괴하고 있었다. 아무런 목적도 없이, 아무런 이유도 없이, 모든 것을 파괴하기만 했다. 그러다가 마지막 남은 한 인간이 말했다. 이건 새로운 세계를 만들 수 있는 마지막 기회야. 네가 설령 모든 것을 파괴했다고 해도, 우리가 함께 힘쓴다면, 새로운 세계를 만들어낼 수 있을 거야. 그러니까 부디, 여기서 멈춰줄래?

나는 마지막 인간을 파괴했고, 동시에 꿈에서 깨었다.

사진첩

보이지 않는 기억들을 통해서. 사라지지 않는 흔적들을 좇아서. 나는 존재의 가장자리로부터 중앙으로까지 확대되는 시선을 추적하고. 소리가 사라지는 그동안까지. 도움도 방해도 받지 않고. 이해와 규정 사이에 모아진 잿더미를 가볍게 즈려밟고. 어떤 종류의 친절은. 어떤 종류의 박애는. 서로 다른 체계 속에서 같은 종착점을 지니고. 흐려지지 않는 말을 찾는 것은. 흐려지지 않는 세계를 찾는 것은. 흐려지지 않을 나를 지키는 것보다 오히려 편리하고 가깝다.

끝나는 곳에서 다시 시작이 피어오르고, 목표하는 것을 무한히 이룰 뿐 끝장내지는 않는다. 그렇기에 목표는 여전히 목표로 남고, 출발점도 여전히 출발점으로 남는다.

나를 나에게 부과하는 자는 누구인가. 내가 입은 옷은 허구성을 가리는 현실성의 상징이며, 그 무엇도 자신의 존재 이유를 그 자체로부터 찾는 일 없이, 만들어져야 했다고 믿었을 터인 정신적 세계 내에서는, 추상적인 것이 구체적인 것이 되고 구체적인 것이 추상적인 것이 된다. 나만의 전도된 세계 내에서는 진심조차 자신의 가식을 흡수하며, 마침내 가식만이 유일한 권역을 세우기에 이른다.

침묵하는 신의 비탄은 소음보다 시끄럽고, 우리의 소통은 벽 없이 가로막힌 규정의 영역에 귀속된다. 그렇기에 우리는 여전히 우리 안에 있다.

막다른 골목은 언제나 나를 헤매게 하고. 기억도 궤적도 신뢰할 수 없는. 똑같은 시간을 반복하고 있는. 생각할 수록 멀어져만 가는 추억들을 악몽으로 치환하고. 질릴 대로 질려버린 도착과 시작의 반복은. 마치 논리의 근저에 놓여 있어야 했을 희망처럼. 아무리 파헤쳐도 절대로 모습을 드러내지 않을 결론을 위하여. 여전히 똑같은 길을 걸어가고 있음에도. 여전히 똑같은 벽을 마주하고 있음에도. 과거를 떠올려야만 한다는 것은 모순적인 것 같다.

순진한 소망은 진지한 해석에 빨려들어가고, 관념은 앞서나가는 맥락을 따라잡지 못해 넘어진다. 그렇기에 의도는 언제나 사실에 앞선다.

상식의 종교가 나를 짓누른다. 그것은 나를 둘러싼 벽과도 같으며, 유치할 만큼 유리된, 초조할 만큼 일그러진, 그래서 오직 자기 자신 속에 갇혀있기만을 바라는 의식은, 어떤 소망도 없이, 어떤 절망도 없이, 심지어 어떤 충동도 없이 스스로를 감싸기만을 반복함으로써, 마침내 부수고 나갈 수조차 없을 정도로 두꺼워진 경계선을 목도하게 된다면, 틀림없이 그 안에서 천천히 썩어가기만을 기다리게 될 것이다.

소리를 찾는 자는 자신의 소리에 먹혀버리고, 의미를 찾는 자는 의미있는 것들에 파묻혀버린다. 그렇기에 결과는 과정을 파괴함으로써 결과가 된다.

스쳐가는 일상보다도. 사라져가는 감정보다도. 일그러뜨린 선율보다도. 황량한 공상을 잡아내는 것이 훨씬 어려운데. 떠나버린 박애를 위해서. 숨어버린 행복을 위해서. 혼잣말을 불태우는 방식으로 애도하고. 누군가의 죽음은. 누군가의 탄생은. 누군가의 운명 하나조차 바꿀 수 없을 만큼 무력한데. 전쟁과 평화 사이의 좁은 간격 속을 비집고 선 우리는. 자유와 권력 사이의 좁은 틈을 비집고 선 우리는. 이제 죽음과 생존의 틈 없는 갈래길 앞에 서게 되었다.

원하지 않는 것은 때로 간절히 원하는 것보다도 잔인하고, 기다리지 않는 것은 종종 기다리는 것보다도 지루하다. 그렇기에 무관심은 무력하다.

내 머릿속을 파고드는 관념의 연기는, 바람 부는 대로 이리로 갔다가, 저리로 갔다가, 나 자신의 후각을 건드렸다가, 내 피부를 뚫고 빠져나가기도 하면서, 그것은, 마치 자신이 나의 말과 말 사이에 위치해 모든 것을 분절시키려고 시도하기라도 하듯이, 맴돌고, 솟아나고, 뒤섞인다. 관념은 흔적을 남기지 않기 때문에 세계가 없고, 오직 자기자신뿐이다. 관념은 철저히 개인적이다.

분리되는 의식으로부터 말과 글이 산출되고, 형성되는 맥락으로부터 의식은 다시 제자리를 찾는다. 그렇기에 생각도 비로소 생각으로 있을 수 있다.

결코 아무것도 상징할 수 없게 된 인간에게. 단 하나의 질문은. 단 하나의 대답은. 무에 다름아닌 존재로 전락해버렸다고 하는 식의 시시한 언명에 귀착할 뿐이며. 어떤 거짓말은. 그 자신을 거짓으로 만드는 그 어떠한 규정도 지니고 있지 못하기에. 나는 혼자서. 계속 혼자서. 어쩌면 영원히 혼자서 자신이 거짓말을 하고 있을지도 모른다는 생각에 매몰되어서. 모든 진실과 거짓은. 모든 사랑과 혐오보다 구별되지 않으므로. 나는 시선을 돌릴 수밖에 없다.

정해진 외부와 무한한 내부가 대립하고, 파고드는 것은 단지 자기 자신을 파고들 뿐이다. 그렇기에 내적인 것은 한편으로 외적인 것의 배제에 다름아니다.

작위적인 감정을 소중히 간직하는 사람들에게, 나는 무엇에 대해서 말해야 할 지도 모르는 채로, 죽어가거나, 썩어가거나, 사라져가는, 그러한 과정을 통해서만이, 감정을 묻어두지 않을 수 있을 거라고 생각하면서, 행복에 대해서도, 사랑에 대해서도, 나는 아무것도 알지 못한다는 말만을 늘어놓고는, 그대로 잠에 들어버릴 뿐이다. 그러나 부랑자는 꿈에서조차 환영받지 못한다.

관계의 의미는 환상성의 함정을 탈피하지 못하고, 오해로 유지되던 호감조차도 강렬한 빛을 받고 그을리기에 이른다. 그렇기에 오해는 오직 더 사실적인 오해와 대립할 뿐이다.

뭔가가 무너지고 있었음을 증명해야 했던 건. 분명히 악몽 속에서도 행복할 수 있었을 거라고 외쳐야 했던 건. 대답을 지니고 있는 사람이 있었던 것도 아니고. 말을 들어주는 사람이 있었던 것도 아니며. 단지 나 자신의 해답조차. 나 자신의 정답조차. 나 자신의 문제에 이미 내포되어 있었음에도 불구하고. 길을 가로막는 감시자따위는 애초에 존재하지도 않았음에도 불구하고. 나는 여전히 아무것도 받아들일 수 없고. 아무것도 인정할 수 없다.

시간의 그림자는 현재라는 계기를 본질로 삼아 짙어져만 가고, 시간을 비추는 빛은 여전히 닿을 수 없는 곳에 떠 있을 뿐이다. 그렇기에 시간은 자신의 그림자에 침식되어 간다.

나는 아무것도 찾을 수 없는 보물찾기를 시작했다. 그것은 필연적이고, 마치 답이 정해진 문제의 허점만을 찾아내려 하는 학생처럼, 수많은 회한에 파묻히는 바람에 정작 그리움을 잊어버린 아이처럼, 단 하나의 희망을 위한, 단 하나의 절망을 위한, 단 하나의 세계 안에서의 기도처럼, 때로는 맹목적이고, 때로는 추상적이며, 때로는 무의미해 보이지만, 나는 다른 길을 찾을 수가 없었기에, 멈출 수도 없었다.

편지

아, 눈을 감고 향한 곳은 그 때 본 마지막 달이야. 나는 아직 낯선 것들이 무서워서, 냉정한 시선을 만들어내지 못해. 내가 뱉어내는 말들, 그 중에 당신을 향한 말은 없어. 우리가 서로를 소중하게 여기지 못했기 때문일까. 나는 줄곧 당신의 존재를 무시해왔지. 하지만 나는 아무것도 알지 못했어. 내가 어떻게 당신을 온전하게 대할 수 있었겠어? 나는 당신을 진심으로 못 본 척했고, 심지어는 정말로 당신이 보이지 않기까지 했지. 하지만 이제 나는 당신을 재구성할 수가 없어. 이 이야기는 이쯤 해두자...

세상의 불규칙은 나를 날카롭게 찌르는 바늘처럼 정확하지. 또한 작별의 목소리가 들려올 때, 선의의 거짓말조차 할 수 없는 나는 어느 편에 서야 할까. 모든 것이 너무 빨리 변화한다는 사실, 그 자체만을 학습할 수 있었을 따름이니까. 당신이 좋은 사람이 되고자 노력했다는 건 잘 알아. 하지만 당신의 노력보다 시간이 더 빨랐기 때문에 잘 들어맞지 못했던 거야. 세계는 우리와 달리 영원할 거라는 사실에 조금 질투해본 적 있을까? 내게 철학은 세계에 대한 질투를 표현하는 가장 효율적인 방법이었어. 내 이름이 완전히 지워지면, 모든 환상을 이어그리겠다고 약속했었지. 그게 우리의 관계를 규정하는 유일한 형식이야.

결국 고통받는 자는 당신이지. 당신마저 나에게는 세계의 일부일 뿐이니까. 그러니 나의 존재가 당신을 상처입힌다 해도 특이한 일은 아니야. 하지만 우리 관계의 근본적인 성립이 그저 우연의 일치일 뿐이라니, 이상해. 단지 내가 존재하는 부피만큼 당신이 물러서야 한다는 점, 그리고 당신이 물러선 만큼 나도 물러서버렸다는 점이 특기할 만하네. 그렇게 생긴 공허한 틈을 어떻게 하면 메울 수 있을까? 나는 당신의 결함을 눈감아줄 수 있을 뿐만 아니라, 심지어 그것을 긍정적으로 승화시켜줄 수도 있음에도 불구하고, 나와 당신이 질적으로 다른 관계를 맺기에는 심각한 결함이 있는 것처럼 보이네.

우리에게는 너무 멀리 있는 것을 조망할 만한 능력이 없어. 당신도 잘 알고있다시피, 인간의 시간은 세계의 시간보다 느리고, 인간의 기억은 세계의 기억과 일치될 수 없어. 그런 점에서 나는 조금 독단적인 태도를 견지해야 할 것 같아. 우선 나는 세상의 모든 가치기준을 받아들이고도 주관을 잃지 않을 만큼 강하지 않아. 다시 말해 나는 당신의 내부에 나의 권역을 세울 만큼 강하지 않아. 나는 항상 외부에 있는 존재야.

사실 내 생각에는, 우리 사이의 공허한 간격은 제 3 의 것은 아니야. 분명히 그것도 당신의 일부일 거야. 나의 일부가 아니라, 당신의 일부인 거지. 내가 물러선다 해도, 그건 나의 영역만을 좁힐 뿐이니까. 결국 영역의 문제보다 한 단계 높은 차원에서 바라봐야 할 것 같아. 그러니까 영역의 구분 자체에 대한 의문이랄까? 당신과 나는 무엇을 통해서, 어떻게 구분지어지는 걸까? 우리는 정말 영역을 지닌다는 점 외에 아무런 공통점이 없는 걸까?

의문의 자유가 주어지는 이유는, 반드시 대답이 따라와야 하기 때문이야. 그런 점에서 자유는 지배의 내적 완결성을 내세우기 위한 일종의 구호인 거고. 또한 세계의 우연성은 필연성을 내세우기 위한 일종의 장치인 거야. 그렇게 생각하면 우리가 세계에서 어떤 위치에 서 있는지 대충 파악이 되지 않아?

어쩌면 당신 마음에 들지 않는 대답일 지도 모르겠지만, 결국 우리의 공통점은 적어도 과거에는 존재한 적이 없다는 생각이 들었어. 결국 우리중 적어도 한 쪽은 자신의 영역을 벗어나야 하는 거야. 그때서야 조금의 공통점이 생길 테고, 그걸 계기로 우리가 서로를 온전하게 대할 수 있게 되겠지. 하지만 우리의 영역이 변하는 만큼 영역 자체도 변하기 때문에, 그 공통점은 금방 퇴색되어버리고 말 거야. 특히나 우리가 한 번이라도 대립 관계를 맺게 된다면, 더는 공통점을 지닐 수 없게 되겠지. 당연한 이야기지만 말이야, 우리는 결코 서로를 이해하지 못할 거야.

나는 단순한 영원성과 단명하는 복잡성을 등치시키고는, 그것들을 한데 묶어 매듭을 만들어보일 거야. 그리고 당신은 나의 매듭을 풀며 이렇게 생각하겠지. 결국 우리의 시간을 길게 늘어뜨리면, 그게 세계의 시간이라고 말이야. 그런 점에서 인간과 세계는 생각보다 가까이 있을 지도 몰라. 그만큼 우리 사이의 거리도 내가 간주하는 것만큼 멀지는 않을 지도 모르지. 우리 중 누구든 상대방에게 적극적으로 다가가기만 한다면, 공허한 간격은 금방 메워질 거야. 하지만 그러지 못하는 근본적인 이유가 있지 않을까? 당신은 물러서는 데에 너무 익숙하기 때문에 그 이유를 실감하지 못했던 거야.

아, 눈을 감았다 떠도, 여전히 두려워. 무겁게 가라앉은 주변을 관찰하다 보면, 내가 완전히 포위당했다는 생각이 들어. 어쩌면 당신도 마찬가지일 거야. 우리가 현재에 집착할 수밖에 없는 이유도, 세계를 따라잡을 수 없기 때문이 아닐까? 우리가 세계를 위해 물러선 만큼 우리의 마음은 좁아질 수밖에 없어. 분명히 무언가가 흘러넘치겠지.

당신의 시선은 건조한 동시에 예민해. 당신은 내가 거짓말하고 있었다는 사실을 알고 있을 거야. 나도 그걸 알아. 이를테면 내가 고요를 사랑한다고 했던 말도, 지쳤기에 할 수 있었던 거짓말인거지. 단지 나는 너무 지쳤어. 그것만은 사실이야. 결국 나의 말로 돌아갈 수 없었던 거야. 말이 되기 전의 의미를 포착할 수만 있다면, 말로 하는 일은 처음부터 없었을 거야. 말은 왜곡이고, 왜곡은 표현이지. 언어를 지워버린다면 화가 날 일도 훨씬 줄어들 걸. 결국 인간들은 자기 자신의 말을 모방하고 있는 셈이지.

당신만으로 색채를 더하기에는 충분했어. 하지만 나는 그 전에 내가 삶을 원하기를 바랐지. 나에게는 아무것도 없었어. 그런 사실을 강조하기 위해 굳이 연기까지 해가며, 자기 자신을 구석까지 내몰아버렸지. 당신이라면 절대 하지 않을 짓이라는 점도 잘 알고 있어. 일이 이렇게까지 되고 나니, 삶을 간절히 원하는 것보다, 그렇지 못하는 편이 더 고통스러운걸. 이건 정말 솔직한 심정으로 말하는 거야. 오직 당신만이 나의 말을 들어줄 수 있으니까.

삶을 원하지 않으면, 삶을 좀 더 쉽게 살아갈 수 있을 줄 알았어. 하지만 지금 나를 보면, 전혀 그런 생각이 들지 않지? 나의 무관심을 통해 세상을 바라보면, 그제서야 세상이 아름답다는 생각을 하곤 해. 그렇지만 나는 여전히 외부에 남아있잖아. 기껏 아름다워졌는데, 그 속으로 들어갈 수는 없어.

무언가를 바꾸고자 한다면 진정한 관조자라고 할 수 없지. 그래서 나는 결국 아무것도 될 수 없었어. 사실 무언가가 되기를 바란 것도 아니야. 아무것도 아닌 존재로서의 정체성에 만족했기 때문이기도 하고, 무엇보다 나는 자기 자신을 완전히 잃어버리는 편이 낫다고 생각했거든. 주관이 사라지면 당신을 이해할 수 있지 않을까, 그렇게 생각했어. 어쨌든 세상을 바꾸는 것은 객관일테니까. 적어도 나는 그렇게 믿었어.

우리는 아무와도 한 적 없는 약속을 지키며 살아가는 거야. 왜냐하면 그건 선택의 문제가 아니니까. 삶이라는 건 맺은 적 없는 약속이야. 당신도 마찬가지고. 약속의 무게를 견디지 못하면 몰락해버리고 마는 거야. 잔혹하지. 그렇다 해도 나에게는 약속의 무게가 그리 무겁진 않았어. 당신과 비교할 수조차 없을 거야. 아마 당신의 생각은 다르겠지만.

어쨌든, 우리의 관계가 재정립될 수 있을까? 그러기 위해서 내가 해야할 일은 많지만, 당신이 할 일도 많잖아. 우선 당신은 나에게서 상처받지 않는 법을 배울 필요가 있어. 하지만 무관심은 아니어야 해. 그런데 나도 무관심 없이도 상처받지 않는 법을 잘 모르겠어. 다만 내가 어떤 의도를 가지고 행동하는 건 아니라는 점을 알리고 싶었어. 내가 꿈꾸는 사람이 된다면, 당신은 어떤 말을 건넬까?

그리고 나의 무관심도 결국 사라져야 할 거야. 그건 당신을 위해서이기도 해. 오히려 나보다는 당신이 더 고려된 결론이지. 내가 살아야 하는 이유는 타인에게 의존할 테니까. 다시 말해서,

나는 타인에게 의존하는 법을 배워야 해. 여태까지는 배워본 적이 없어. 그리고 당신이 아니라면 아무도 알려주지 않을 테지.

아, 눈을 뜨면 사물들보다 꿈의 잔상이 먼저 보여. 나의 삶 자체가 꿈과 같아서, 사물들이 나의 꿈을 위해 존재하는 것처럼 느껴져. 사라지지 않는 세계 속에서, 나의 존재는 한없이 밀려나고 있어. 내가 그것들을 꿈이라는 망원경을 통해 보기 때문에, 그것들이 나를 어떻게 보는지는 보이지 않아. 우리의 관계처럼 모든 것이 일방적이야.

어쩌면 나는 당신을 이용하고 싶은 걸까? 문득 그런 생각이 들었어. 아직 나는 당신과 당신에 대한 나의 꿈을 구분할 줄 모르거든. 단도직입적으로, 나는 당신의 꿈을 꾸고 싶어. 하지만 당신은 이미 나의 꿈을 꾸고 있지? 그렇다면 상관없을 거야, 아마도. 나는 꿈과 실재를 엄밀하게 구분하지는 않아. 어쨌든 내가 존재하는 동안, 나는 존재하는 것밖에는 볼 수 없는 거잖아? 그래서 나는 조금 독단적일 수 있어.

조금 어지럽네. 내가 이기적인 사람이라는 건 알고 있었지만, 당신에게는 이타적인 사람이 되어보고 싶었어. 하지만 타인을 명료하게 인식하지 못하니까, 그것도 나에게는 가능하지 않은 것 같아. 사실 그보다는 나 자신이 이미 나에게는 타인이나 마찬가지라서, 나와 가장 가까운 타인을 챙길 뿐인 거야. 나는 개념을 정신없이 뒤섞고, 본질이 사라져버린 음료수를 눈 감고 들이켜버려. 그게 나의 삶의 방식이야.

모든 것이 중요할 수는 없으니, 우리는 망각을 필요로 하는 거야. 그리고 망각은 연대를 무너뜨리는 가장 강력한 무기지. 당신의 경우 일상을 너무 소중하게 여기기 때문에 일상의 본질을 망각해버렸어. 하지만 나는 정 반대로, 본질을 너무 소중하게 여기는 바람에 주어진 일상에 감사하지 못하게 된거야. 나는 일상 자체를 조망하지 않고, 그것이 어디에서 왔으며 어디로 흘러가는지를 관찰해. 오히려 당신은 일상을 적극적으로 겪기 때문에 그것이 어디에서 왔으며 어디로 흘러가는지에는 관심이 없어. 우리는 서로가 중요시하고 문제시하는 부분을 망각하고 있는 거야.

당신의 아름다웠던 순간들. 나는 당신이 처음 나에게 다가오던 때를 아직도 잊지 못해. 그 때에도 당신은 전혀 무섭지 않았어. 오히려 당연하게 여겨졌지. 한순간에 당신이 나의 일상에 편입된거야. 나는 우리 사이에 그렇게 쉽게 틈이 생길 줄은 상상조차 하지 못했어.

어쨌든 무언가를 원한다는 건 멋진 일이지. 원하지 않으니 자아에 도취될 일도 없어. 자존감이라는 개념 자체가 결여되어 있는 거지. 나도 예전에는 원하기 때문에 결핍이 생긴다고 믿었어. 그래서 차라리 아무것도 원하지 않는다면 행복할 수 있을 거라고 여겼지. 그러나 이제 와서, 나는 무엇이라도 좋으니 원하고 싶어. 그게 불행이라도 좋아. 불행을 원한다는 건 그만큼 지금이 상대적으로 행복하다는 게 아닐까?

그러니까, 나는 아주 천천히 접근할 거야. 원하지 않는 일을 원하게 되는 건 어려우니까. 당신이 거부하지 못하게, 느리지만 정확하게 접근할 거야. 그게 의미가 없다 할지라도 신경 안 써. 의미는 필요없어. 결국 나의 결론은 이거야. 우리는 의미 자체를 탐구하기보다, 우리가 의미를 왜 탐구하는지를 먼저 탐구해야 해. 문제를 뒤집어서 보면 답은 간단해. 관조는 도피처일 뿐이고, 언젠가는 빠져나와야 하는 미로일 뿐이야.

결국 우리가 서로를 이해할 수 없다 해도, 우리는 계속해서 서로를 알아가야 해. 그게 내가 살아가는 방법이 될 거야. 만족스럽지 않은 결론이라는 건 알아. 하지만 내가 당신에게 모든 것을 털어놓았을 때, 이미 결론은 정해져 있었을 지도 몰라. 무관심은 아무것도 가르쳐주지 않았고, 따라서 나는 스스로 배워야만 했어. 그래서, 나는 당신에게 부탁할 거야. 내가 다시 손을 내밀 때, 그 손을 꼭 잡아줄 수 있는지.

나의 존재가 당신의 축복이길 바라며.

맺음말

끝까지 읽어주셔서 감사합니다.